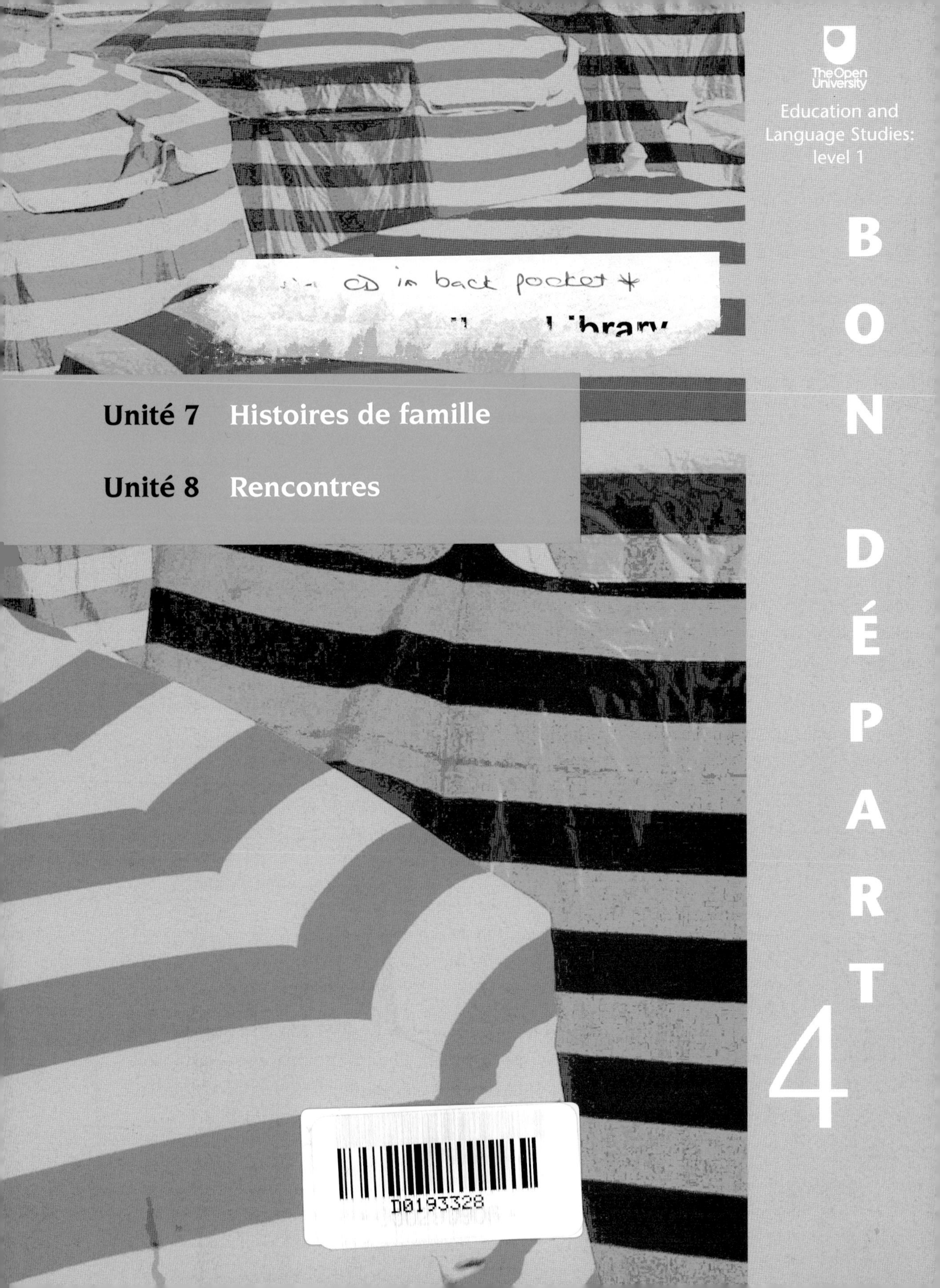

The Open University
Education and Language Studies: level 1
BON DÉPART
4
Unité 7 Histoires de famille
Unité 8 Rencontres

This publication forms part of the Open University course L192/LZX192 *Bon départ: beginners' French.* Details of this and other Open University courses can be obtained from the Course Information and Advice Centre, PO Box 724, The Open University, Milton Keynes MK7 6ZS, United Kingdom: tel. +44 (0)1908 653231, e-mail general-enquiries@open.ac.uk

Alternatively, you may visit the Open University website at http://www.open.ac.uk where you can learn more about the wide range of courses and packs offered at all levels by The Open University.

To purchase a selection of Open University course materials visit the webshop at www.ouw.co.uk, or contact Open University Worldwide, Michael Young Building, Walton Hall, Milton Keynes MK7 6AA, United Kingdom for a brochure, tel. +44 (0)1908 858785; fax +44 (0)1908 858787; e-mail ouwenq@open.ac.uk

The Open University
Walton Hall, Milton Keynes
MK7 6AA

First published 2005. Reprinted with corrections 2005.

Edited, designed and typeset by The Open University.

Printed by Alden HenDi, Oxfordshire.

ISBN 0 7492 6527 2

1.2

Contents

L192 course team

Open University team

Ghislaine Adams (course manager)

Liz Benali (course manager)

Graham Bishop (author)

Viv Bjorck (course team secretary)

Ann Breeds (course team secretary)

Michael Britton (editor)

Neil Broadbent (course team chair and author)

Valérie Demouy (author)

Annie Eardley (author)

Xavière Hassan (author)

Elaine Haviland (editor)

Stella Hurd (course team chair and author)

Marie-Noëlle Lamy (author)

Tim Lewis (author)

Hélène Mulphin (course team chair (planning stage) and author)

Linda Murphy (critical reader)

Liz Rabone (lead editor)

Lesley Shield (author)

Pete Smith (author)

Production team

Ann Carter (print buying controller)

Jane Docwra (production administrator)

Gary Elliott (production administrator)

Pam Higgins (designer)

Tara Marshall (print buying co-ordinator)

Theresa Nolan (production assistant)

Jon Owen (graphic artist)

Deana Plummer (picture researcher)

Natalia Wilson (production administrator)

Consultant authors

Kate Harvey-Jones

Marie-Claude Jourzac

Mary Culpan

Christine Brunton

Béatrice Le Bihan

Claire Ellender

Christine Arthur

Sophie Timsit

Anna Vetter

BBC production team

Kate Goodson (producer)

Dan King (editor)

Marion O'Meara (production assistant)

External assessor

Elspeth Broady (principal lecturer, School of Languages, University of Brighton)

Special thanks

The course team would like to thank everyone who contributed to *Bon départ*. Special thanks go to Philippe Smolikowski, Framboise Gommendy, Christine Sadler and Bernard Haezewindt, who took part in the audio recordings.

7

Histoires de famille

In this unit you will be learning how to describe people – their personality and physical characteristics, what they wear, and how they feel. You will also learn how to talk about family members, and to use the past tense to talk about your life and other people's lives.

VUE D'ENSEMBLE

Session	Key Learning Points
1	• Describing physical characteristics, using *être* • Describing physical characteristics, using *avoir*
2	• Describing personality • Using *très, vraiment, plutôt,* etc., to modify meaning
3	• Talking about members of your family • Using possessive adjectives: *ton, notre, leur,* etc. • Describing what people are wearing • Talking about age
4	• Using *avoir* + noun to say how you feel • Describing physical conditions or states • Using *en* with numbers
5	Practising what you have learned so far
6	• Talking about sport • Using *jouer + à* • Using *faire* in the negative
7	• Talking about hobbies • Using *en* to replace *du/de la/de l'/des* + noun • Using *jouer + de*
8	• Using the *passé composé* to talk about the past • Pronouncing [e], [y] and [i] in past participle endings
9	• Telling other people's life histories • Using expressions of time referring to the past
10	Practising what you have learned so far

Cultural information	Language learning tips
	Learning adjectives Working on your pronunciation
L'évolution de la famille	
Termes d'affection *Les fêtes en famille*	
Le langage du sport	
	Learning vocabulary
	Translating and re-translating into French Developing pronunciation skills
L'Algérie et le Maghreb	Dictionary skills: Looking up verbs
Jacques Prévert	

Session 1

You're spending the afternoon at a funfair with your friends Sylviane and Lucas. You go into the hall of mirrors.

Key Learning Points

- Describing physical characteristics, using *être*
- Describing physical characteristics, using *avoir*

Activité 1 Extrait 1

un vrai mannequin
here: just like a model

1 Match each adjective from the list with a body shape made by the funny mirrors.

Trouvez les adjectifs qui correspondent aux miroirs.

(a)	musclé	(f)	grosse
(b)	maigre	(g)	musclée
(c)	grand	(h)	petite
(d)	petit	(i)	gros
(e)	mince	(j)	grande

2 Listen to Extract 1, in which Lucas and Sylviane discuss their changing shapes in the mirrors. Put the adjectives from step 1 in the order you hear them in the dialogue.

Remettez les adjectifs dans l'ordre.

G 1 Describing physical characteristics, using 'être'

An adjective agrees in gender and number with the noun it goes with, such as a person or people being described:

Pascal est chauve et barbu.
Pascal is bald and has a beard.

Mon fils est beau et ***sa femme*** *est très* ***belle****.*
My son is handsome and his wife is very beautiful.

Les enfants *sont très bronz****és****.* The children are very tanned.

In the masculine form of the adjective, the final consonant (e.g. *d*, *s*, etc.) is silent. In the feminine form it is sounded, because it is followed by an *-e*:

Pierre est grand et musclé. Son frère Jean est petit et gros.
Pierre is tall and muscular. His brother Jean is short and fat.

*Marie-Claire n'est ni grand****e*** *ni petit****e****, elle est de taille moyen****ne****.* Marie-Claire is neither tall nor short, she's (of) average height.

*Lili n'est pas très joli****e****, mais elle n'est pas laid****e*** *non plus.*
Lili is not very pretty but she is not ugly either.

*Léa et Joëlle sont plutôt grand****es*** *pour leur âge. Et elles sont vraiment mignon****nes****.* Léa and Joëlle are quite tall for their age. And they look really sweet.

Activité 2 Extrait 1

Listen to Extract 1 again while looking at the transcript. Say Lucas' part along with the recording. Then do the same with Sylviane's. Make sure you copy their intonation and pronounce the endings of the adjectives correctly.

Lisez la transcription et parlez en même temps que Lucas et Sylviane.

Activité 3

Using the verb *être*, write a physical description of yourself and of another person of the opposite sex, of about 30 words altogether.

Écrivez deux portraits.

Activité 4 Extrait 2

fort(e)
large (= *overweight*)
vert foncé
dark green
rond(e)
plump
une barbe rase
a short beard

1 Listen to Extract 2, in which seven people describe themselves and their partner or a member of their family. Match each name in the box below with an adult in the photographs, according to the descriptions you hear. (You don't need to understand every detail to do this.)

Trouvez les noms qui correspondent aux photographes.

(b)

(c)

(a)

(d)

(e)

Pierre • Jean-Claude • Colette • Agnès • Philippe • Pascal • Maryse

2 Listen again and answer the questions by ticking the right names. You only need to put down information people give about themselves.

Cochez les bonnes cases.

	Pierre	J-Claude	Colette	Agnès	Philippe	Pascal	Maryse
Qui est grand(e)?							
Qui est petit(e)?							
Qui a les yeux marron?							
Qui a les cheveux bruns?							
Qui est assez mince?							
Qui est assez fort(e)?							

3 Listen again and answer the following questions.

Répondez aux questions.

(a) How does Colette describe her son's hair?

(b) How do (i) Agnès and (ii) Maryse describe their husbands' hair?

(c) How does Pascal describe his wife's hair?

G 2 Describing physical characteristics, using 'avoir'

French uses the article (*un/une/des* or *le/la/les*) when referring to parts of the body.

- **Using 'avoir' + 'un/une/des'**

  Il a ***un*** *grand nez.* He's got a big nose.

  Pascal a ***des*** *taches de rousseur.* Pascal has freckles.

  Jérôme a ***une*** *barbe poivre et sel.*
  Jérôme has a pepper-and-salt beard.

- **Using 'avoir' + 'le/la/les' + noun + adjective**

  J'ai ***le*** *visage rond et* ***le*** *menton pointu.*
  I have a round face, with a pointed chin.

  Les deux frères ont ***les*** *yeux verts,* ***les*** *cheveux bouclés et* ***le*** *teint pâle.* Both brothers have green eyes, curly hair and a pale complexion.

  Sa sœur Sylvie a ***les*** *yeux bleus,* ***les*** *cheveux noirs et raides et* ***le*** *teint pâle.* Their sister Sylvie has blue eyes, straight black hair and a pale complexion.

Note that the adjectives *marron* and *châtain* never change their form:

J'ai les cheveux châtain clair.
I have light brown hair.

Activité 5 Extrait 2

1 The descriptions which Pierre, Philippe and Pascal give of themselves differ slightly from those given by other people. Listen to Extract 2 again and note down the differences in the table, in French.

Complétez le tableau.

Person	described by	Taille	Cheveux	Yeux
Pierre	himself			
	his mother Colette			
Philippe	himself		bruns /	
	his wife Agnès		noirs /	
Pascal	himself			
	his wife Maryse			

2 Complete the written self-portrait you started in Activity 3 by describing, in about 30 words, your face, eyes, hair, etc., using *avoir*.

Complétez votre portrait physique.

Activité 6 Extrait 3

voleur (m.)
thief

Somebody has stolen your camera. Listen to Extract 3 and answer the policeman's questions following the prompts.

Répondez aux questions et décrivez le voleur.

Session 2

Sylviane buys *La Semaine*, a local weekly newspaper, and you read it together over a coffee.

Key Learning Points

- Describing personality
- Using *très, vraiment, plutôt,* etc., to modify meaning

Activité 7

1 *Entendu par-ci par-là* is a regular feature of *La Semaine*. Every week it reproduces amusing conversations overheard in cafés all over town. Read the snippet shown below. How does Gaby feel generally about her previous and present bosses?

Que pense Gaby de ses chefs?

ben
well, so, er

il est comment?
what's he like?

je les collectionne
here: I get through them [bosses]

les grèves (f)
strikes

on rit beaucoup
we laugh a lot

Entendu par-ci par-là

— Alors, il est comment, ton nouveau directeur?

— Exécrable, ma pauvre! Il est agressif avec tout le monde!

— Ah, ben, dis donc! Tu n'as pas de chance. Parce que ta directrice, dans l'autre bureau…

— Eh ben, oui, je les collectionne! D'abord Mme Bouvard, jamais un sourire, pas du tout compréhensive quand on arrive en retard ou qu'on veut partir un peu avant l'heure… Surtout avec toutes les grèves des transports l'année dernière. Mais non, toujours prête à critiquer, Mme Bouvard, toujours négative: 'Vous êtes encore en retard, Gaby!', 'Vous n'avez pas fini le rapport et voulez partir?' et gna gna gna, avec sa voix perçante.

— Et tes nouveaux collègues?

— Pour ce moment ça va. Il y a deux garçons vraiment gentils et serviables. Et drôles! On rit beaucoup ensemble. Mais, la secrétaire du patron, elle est amicale, comme ça, en surface, mais en realité, elle est tout à fait hypocrite. Et elle est curieuse! Elle met son nez partout!

2 (a) Match each adjective in the text with its English equivalent from the box below. Put the translation in the first column of the table.

(b) Say whether each adjective is in the masculine or feminine form in the text by ticking the appropriate box of the second or third columns.

(c) Finally, give the masculine or feminine form, as appropriate.

Complétez le tableau.

Adjective in the text	English equivalent	Is it masc. form?	Is it fem. form?	Masc. form	Fem. form
exécrable					
agressif					
compréhensive	*understanding*		✓	compréhensif	
négative					
gentils					
serviables					
drôles					
amicale					
hypocrite					
curieuse					

negative • funny • understanding • kind • friendly • helpful • ghastly • aggressive • hypocritical • nosy

Activité 8 Extrait 4

Here is a short poem to help you memorise adjectives ending in *-eux/-euse* (which you studied in Unit 3, Session 8).

paresseux
lazy

1 Listen to Extract 4 and supply the feminine form of each adjective.

Écoutez et donnez le féminin.

Exemple

You hear Jérôme est généreux, Germaine...

You say ... génér**euse**

2 Now learn the poem by heart and record yourself reciting it, trying to reproduce its rhythmic pattern.

Mémorisez le poème et enregistrez-vous.

LEARNING ADJECTIVES

A useful way of learning adjectives is to group them into pairs of opposites (as shown in Unit 6, Session 4):

gentil(le) (nice) / *méchant(e)* (nasty)

froid(e) (cold) / *chaleureux, -euse* (warm, warm-hearted)

Beware of *faux amis*:

sympathique likeable (**not** 'sympathetic')
gentil(le) nice, kind (**not** 'gentle')
compréhensif, -ive understanding (**not** 'comprehensive')
malicieux, -euse cheeky (**not** 'malicious')

Activité 9  Extrait 5

collègue (m./f.) *colleague*
en amitié *in friendship*
genre (m.) *kind, type*

In this activity you will hear several people giving their opinion of others.

1 Listen to Extract 5 and write down the names of the interviewees who describe people they like, and those who describe people they don't like.
Écrivez le nom des personnes interrogées.

2 Look at the list of adjectives in the table below, and find the translation of each adjective, using your dictionary. (There is no column for the translations.)
Trouvez la traduction des adjectifs.

3 The speakers in Extract 5 use adjectives which are the opposites of those listed in the left-hand column of the table below. Listen to the extract again and write down each adjective you hear, in the second column.
Trouvez les opposés.

4 Complete the table by providing either the masculine or the feminine form which is missing.
Complétez le tableau.

	Opposé dans l'extrait	**Masculin**	**Féminin**
méchant(e)	gentil, gentille		
incompétent(e)			
avare			
ennuyeux/-euse	rigolo, drôle, intéressante, amusante	drôle, intéressant, amusant	rigolote
malhonnête			
désagréable			
mélancolique			
sincère			
poli(e)			
intelligent(e)			
tolérant(e)			

G 3 Describing personality

To describe somebody's personality, you can use *être* + adjective:

Elle est amicale / tout à fait hypocrite.
She's friendly / completely hypocritical.

Je n'aime pas les gens qui sont râleurs, méchants, bêtes.
I don't like people who are whingers, or nasty or stupid.

There are also idiomatic expressions using *avoir* + phrase:

Les Balances ***ont les pieds sur terre.***

Les Gémeaux ***ont la tête dans les nuages.***

Les Taureaux ***ont le sens de l'humour.***

You will work with these in the next activity.

Activité 10

Match each French expression with the appropriate English equivalent.
Associez les phrases à leurs équivalents en anglais.

(a) Elle a les pieds sur terre.	(i) He has a sense of humour.
(b) Il a la tête dans les nuages.	(ii) She has a split personality.
(c) Il a le sens de l'humour.	(iii) He's good-tempered.
(d) Elle a une double personnalité.	(iv) He's an awkward so-and-so.
(e) Il a bon caractère.	(v) He's level-headed.
(f) Elle a mauvais caractère.	(vi) He's got his head in the clouds.
(g) Il a la tête sur les épaules.	(vii) She's bad-tempered.
(h) Il a un caractère de cochon.	(viii) She has her feet firmly on the ground.

WORKING ON YOUR PRONUNCIATION

You can use the transcripts to identify an audio extract which will be useful for concentrating on a particular aspect of pronunciation, such as liaisons or particular vowel sounds. Listen, pause the CD after each person has spoken and repeat.

Pay particular attention to the pronunciation of words which have a similar form in English, such as *compétent, agréable,* or *généreux.* Whereas in English a particular syllable within a word tends to be emphasised (e.g. **ge**nerous), in French each syllable is usually stressed equally (*gé* - *né* - *reux*).

Activité 11 Extrait 6

dans les affaires
in business

à la fois
at the same time

vous avez des peines de cœur
your have a lot of heartache

compte
(it) counts

In this activity you will use Chinese horoscopes.

1 Listen to Extract 6, in which several people react to a description of their character according to the Chinese horoscope. Which two people think the description fits them well?

Qui est d'accord avec la description?

2 Listen to Extract 6 again and identify the animal which corresponds to each adjective.

Quels signes correspondent à ces adjectifs?

audacieux		gai	
confiant		amoureux	
intuitif	le serpent	travailleur	
gentil		désinteressé	
fidèle		honnête	

le Rat

le Lapin

le Singe

le Buffle

le Tigre

le Dragon

le Serpent

le Cheval

la Chèvre

le Coq

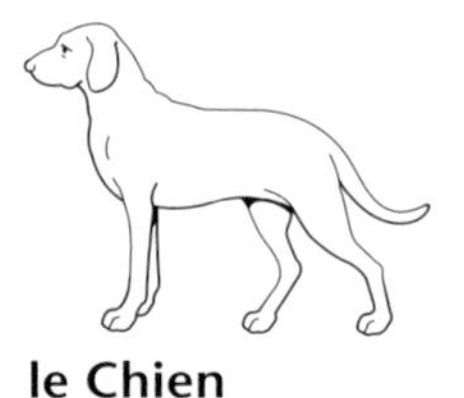
le Chien

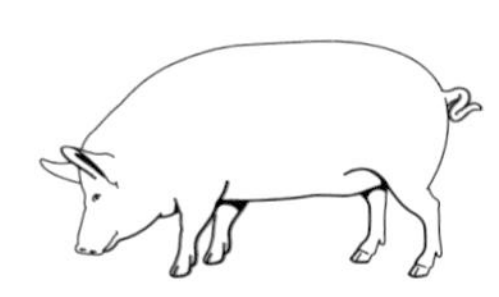
le Cochon

G 4 Using 'très', 'vraiment', 'plutôt', etc. to modify meaning

Adverbs of degree indicate **to what extent, how** or **when**. They are useful in describing personality and behaviour.

*Il est **très** rigolo.*

*Cette personne est **un peu** hypocrite.*

*Elle est **trop** confiante.*

*Je ne suis pas **particulièrement** audacieux.*

*Tu n'es **vraiment** pas gentil!*

*Est-ce qu'il est **plutôt** grand ou **plutôt** petit?*

*Elles sont **extrêmement** ennuyeuses.*

*Vous êtes **toujours** prêt à donner votre temps aux autres.*

*Ce sont des personnes qui sont **généralement** impolies.*

Activité 12

Describe your own personality, in about 50 words. Remember to use some of the modifying adverbs from G4 and words describing personality characteristics.

Décrivez votre personnalité par écrit.

Sylviane and Lucas are chatting to Christine and you about their family.

Key Learning Points

- Talking about members of your family
- Using possessive adjectives: *ton, notre, leur,* etc.
- Describing what people are wearing
- Talking about age

Activité 13

Look at Lucas Gomez's family tree below. Complete the table by putting in the term he would use to refer to each family member.

Complétez le tableau.

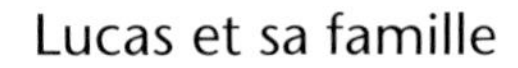

Lucas et sa famille

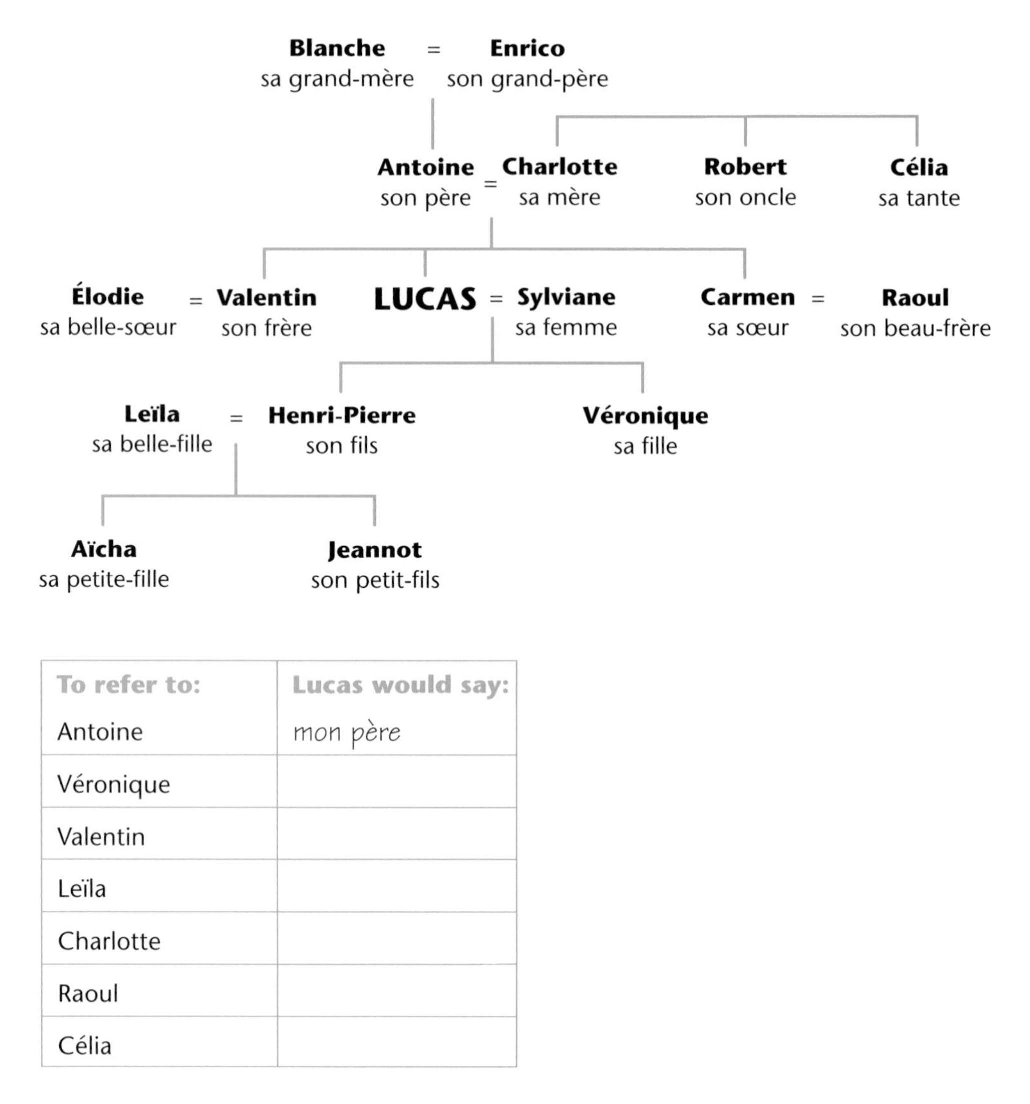

To refer to:	Lucas would say:
Antoine	*mon père*
Véronique	
Valentin	
Leïla	
Charlotte	
Raoul	
Célia	

 Using possessive adjectives: 'ton', 'notre', 'leur', etc.

grand-mère (f.)
grandmother

grand-père (m.)
grandfather

tante (f.)
aunt

oncle (m.)
uncle

petite-fille (f.)
granddaughter

petit-fils (m.)
grandson

belle-fille (f.)
daughter-in-law

beau-fils (m.)
son-in-law

belle-sœur (f.)
sister-in-law

beau-frère (m.)
brother-in-law

You already know the possessive adjectives *mon/ma, son/sa* and *votre.* Here is a complete list for all persons, singular and plural.

	Used with feminine nouns	Used with masculine nouns
Singular nouns	**ma** sœur **ta** mère **sa** tante **notre** cousine **votre** fille **leur** grand-mère	**mon** frère **ton** père **son** oncle **notre** cousin **votre** fils **leur** grand-père
Plural nouns	**mes** petites-filles **tes** belles-filles **ses** belles-sœurs **nos** cousines **vos** amies **leurs** copines	**mes** petits-fils **tes** beaux-fils **ses** beaux-frères **nos** cousins **vos** amis **leurs** copains

Note that with feminine nouns starting with a vowel sound you need to use *mon, ton* and *son* instead of *ma, ta, sa*:

> ***mon** amie, **ton** étudiante, **son** invitée*

Remember to make the liaison between '*mon_amie*', etc.

Activité 14

1 Sylviane has written to her sister with some family news. Fill in the gaps in her letter below, using the appropriate possessive adjective and term for the family member, for example: *sa sœur.*

Complétez cette lettre.

une nouvelle
a piece of news

surtout
particularly, above all

avoir envie de
to be keen to

retrouver
to see again

soie (f.)
silk

> Lucas, Valentin et Carmen sont plutôt tristes: (a) ____ __________ - __________ Blanche est morte récemment. Heureusement, il y a aussi une bonne nouvelle: nous allons tous au mariage de leur cousin, le troisième weekend de juin. Lucas va revoir (b) ____ __________ Robert. Et surtout il a très envie de retrouver (c) ____ __________ - __________ Jeannot. Dans notre famille, les jeunes sont merveilleux! Moi, je suis impatiente de retrouver (d) ____ __________ - __________ Leïla, que j'adore. J'ai choisi avec elle sa robe pour le mariage, très élégante, en soie crème. (e) ____ __________ - __________ Aïcha va porter une robe en soie comme sa mère, mais avec un petit chapeau rigolo, crème et rose.

2 Which of the letters below are for which of Sylviane's relatives? Answer using a possessive adjective and the term for the family member, for example: *son oncle*.

À qui sont destinées ces lettres?

L'ÉVOLUTION DE LA FAMILLE

The 'traditional' family used to figure largely in French society, partly owing to the influence of the Catholic church. But today, *le divorce, les familles monoparentales* (single-parent families), and *les familles recomposées* ('reconstituted' families) have made the picture more diverse. Many partners now choose to live together informally, in what is called *l'union libre.* In recognition of this, the French government introduced *the pacte civil de solidarité*, or PACS, in 1999, which confers legal status on such couples. Demographic studies show that one third of French households now consist of single people, amongst whom are a growing number of older people.

Activité 15 Extrait 7

1 Listen to Extract 7, in which Lucas is talking to his friend Caroline on the phone. Then listen again and complete the following description of a photograph using the words from the box below.

Complétez la description de la photo.

sa copine
his girlfriend

Caroline, c'est la __________ de __________. Elle n'est pas sur la photo – c'est elle qui la prend. Son __________ Thomas est à côté de sa copine __________ qui est journaliste.

L'__________ de Caroline s'appelle __________. Il a 65 ans, mais il veut rester jeune. Il adore porter les vêtements de son __________ qui s'appelle __________.

Thomas • Dominique • Michel • Julien • sœur • frère • oncle • fils

2 Listen to the extract again and say what each person is wearing by matching the two halves of the sentences.

Reliez les deux parties de chaque phrase.

(a) Thomas porte…	(i) … un pull rayé
(b) Dominique porte…	(ii) … un bonnet en laine
(c) Michel porte…	(iii) … des lunettes
(d) La femme de Michel porte…	(iv) … une écharpe autour du cou
(e) Le père de Caroline porte…	(v) … une casquette de baseball
(f) La mère de Caroline porte…	(vi) … un vieux blouson en cuir

G 6 Describing what people are wearing

To talk about what someone is wearing, use *porter* or *avoir.*

*Il **porte** des lunettes.*
He wears glasses.

autour de
round, around

*Elle **a** une écharpe autour du cou.*
She has a scarf round her neck.

Mettre is also used, often with the idea of 'to put on':

*Il **met** les vêtements de son fils.*
He wears his son's clothes.

*Leïla va **mettre** sa robe crème pour le mariage.*
Leïla's going to wear her cream-coloured dress for the wedding.

To emphasize a description, you can use the phrase *c'est… qui…*, which you first saw in Unit 6, Session 1:

*Ton père, **c'est** le monsieur **qui** porte une casquette de baseball?*
Is your father the man wearing a baseball cap?

Activité 16 Extrait 8

1 Lucas and Sylviane are invited to a formal wedding. Here is a list of some of their clothes. Make sure you understand all the descriptions, then tick the clothes they would be unlikely to wear to a formal wedding.

Quels habits ne vont-ils pas porter au mariage? Cochez.

(a) un bermuda à fleurs ❏

(b) une robe longue en soie crème ❏

(c) un anorak vert foncé ❏

(d) un costume à rayures ❏

(e) un sweat jaune canari ❏

(f) un chemisier imprimé style hawaïen ❑

(g) un pantalon en velours ❑

(h) un tee-shirt mauve ❑

(i) un nœud papillon ❑

(j) un bonnet de laine bleu marine ❑

(k) un pull rayé en grosse laine ❑

(l) un maillot deux pièces ❑

(m) un ensemble vert pâle ❑

2 Match each of the following English phrases with its French equivalent.
Trouvez les équivalents.

(a) your husband	(i) votre beau-père
(b) a striped suit	(ii) un nœud papillon
(c) your father-in-law	(iii) votre sœur
(d) beside	(iv) il porte
(e) your sister	(v) votre petit-fils
(f) a pink suit	(vi) un costume à rayures
(g) your grandson	(vii) votre mari
(h) a bow tie	(viii) un ensemble rose
(i) he is wearing	(ix) à côté de

elle me ressemble
she looks like me

3 Some days later, Sylviane and you are looking at a photo of the wedding. Listen to Extract 8 and ask her questions, following the prompts. Use *c'est … qui…?* in your questions.
Posez des questions à Sylviane.

Exemple

You hear (Ask if that's her daughter-in-law in front of her)

You ask ***C'est*** *votre belle-fille* ***qui*** *est devant vous?*

G 7 Talking about age

To express age, use *avoir* + number + *an(s)*:

J'ai cinquante-quatre ans. I'm fifty-four (years old).

Make sure you pronounce the liaisons, where appropriate, as underlined below:

Leur petite-fille a un an.

Jeannot a six ans.

Notre mère va avoir quatre-vingt un ou quatre-vingt deux ans?

When people are in their thirties, forties, fifties and sixties, you can refer to their approximate age by using *avoir* + *la trentaine, la quarantaine, la cinquantaine, la soixantaine*:

Il a la quarantaine. He's in his forties. / He's forty-something.

Use *quel* when asking about age:

Vous avez / Tu as ***quel âge****?* How old are you?

Ton mari a ***quel âge****?* How old is your husband?

or, slightly more formally:

Quel âge *avez-vous? / as-tu?* ***Quel âge*** a *ton mari?*

Activité 17

1 Complete the following sentences by giving the appropriate dates and ages for yourself and members of your family, or friends.

Complétez les phrases.

Je suis né(e) en __________, j'ai __________.

Mon __________ est né en __________, il __________.

Ma __________, elle __________.

Mes __________, ils/elles __________.

2 Say what you are wearing today, in about 30 words. Give a reason for wearing or not wearing one particular item of clothing. Refer to G6 and Activity 16, and to Unit 4, Session 4 if you need a further vocabulary reminder.

Dites ce que vous portez aujourd'hui.

Sylviane's father is unwell. She shares her worries with Christine.

Key Learning Points

- Using *avoir* + noun to say how you feel
- Describing physical conditions or states
- Using *en* with numbers

Activité 18 Extrait 9

constamment *constantly*
rassuré(e) *reassured*

1 Listen to Extract 9 and tick which of the following symptoms and sensations are mentioned by either Sylviane or Christine.
Cochez les symptômes entendus.

(a) Il est malade. ❑
(b) Il n'est pas bien. ❑
(c) Il a froid. ❑
(d) Il est fatigué. ❑
(e) Il a mal à la tête. ❑
(f) Il a chaud. ❑
(g) Il est en pleine forme. ❑
(h) Il a de la fièvre. ❑
(i) Il a une allergie. ❑
(j) Il n'a pas faim. ❑
(k) Il a mal au dos. ❑
(l) Il a soif. ❑
(m) Il a des vertiges. ❑
(n) Il a un gros rhume. ❑
(o) Il a mal à la gorge. ❑

2 Match the French expressions in step 1 with their English equivalents below.
Trouvez les équivalents.

(i) He's got a sore throat.
(ii) He feels hot.
(iii) He's not well.
(iv) He's got an allergy.
(v) He's tired.
(vi) He's in great shape.
(vii) He's ill.
(viii) He gets dizzy spells.
(ix) He's cold.
(x) He's thirsty.
(xi) He's not hungry.
(xii) He's got a headache.
(xiii) He's got a temperature.
(xiv) He's got a heavy cold.
(xv) He's got backache.

G 8 Using 'avoir' + noun to say how you feel

In Unit 1, Session 7 you were shown the use of *avoir* to talk about physical sensations (*e.g j'ai faim*) and feelings (*e.g. j'ai peur*).

Avoir is used with nouns in several ways to say how somebody feels:

- *avoir* + noun (as above)
  J'ai froid. I'm cold.
- *avoir* + *un/une/des* + noun
  Il a un rhume. He has a cold.
- *avoir* + *du/de la/des* + noun
  Vous avez de la fièvre. You have a temperature.

- *avoir* + *mal* + *à la/au/aux* + part of body

  Elle a mal à la tête. She has a headache.

Être + adjective is also used to describe how somebody feels:

Je suis malade. I'm ill.

Il est fatigué. He' s tired.

Activité 19

1 Classify by grammatical structure all the symptoms from Activity 18, step 1 into the five columns below.

Classifiez les symptômes.

***avoir* + noun/ adjective**	***avoir* + *un/une* + noun**	***avoir* + *du/de la/des* + noun**	***avoir* + *mal* + *à la/au/aux* + part of the body**	***être* + adjective/ phrase**
il a froid ...				

2 Describe the way you feel physically today and give a reason. Write 50–60 words. Try to use as many connecting words, such as *mais* and *parce que*, as possible.

Comment allez-vous? Répondez par écrit.

G 9 Using 'en' with numbers

In answer to the question '*Et tu as combien* ***de frères****?*' Sylviane said '*J'****en*** *ai cinq*', which means 'I have five (**of them**)'. The word *en* is used in place of the noun mentioned previously (*de frères*) and is needed in French to complete the idea expressed by the number. It is always placed before the verb.

Tu as ***deux cousins****? – Non, j'****en*** *ai trois.*

Do you have two cousins? – No, I've got three.

'***Il y en a*** + number' means 'there is / there are ... (of them)'.

Il y a combien de ***chambres*** *dans l'hôtel? –* ***Il y en a*** *douze.*
How many rooms are there in the hotel? – There are twelve.

Mes ***sœurs****? Il y* ***en*** *a* ***une*** *qui est à Paris.* My sisters? One of them is in Paris. (literally: 'there's one who's in Paris'.)

Tous les ***étudiants*** *sont là? – Non, il y* ***en*** *a* ***deux*** *qui sont malades.* Are all the students there? – No, two (of them) are ill. (literally: 'there are two who are ill'.)

Activité 20

1 Answer the following questions using *J'en ai... / Il en a ... / Elle en a...*

Répondez aux questions.

Exemple

Vous avez des chats? (trois)

Oui, j'en ai trois.

(a) Vous avez des chiens? (deux)

(b) Il a des enfants? (trois)

(c) Elle a des frères? (un)

(d) Il a des sœurs? (une)

(e) Vous avez des cousins? (sept)

(f) Il a des amis? (beaucoup)

2 Put the following words in the correct order to form sentences.

Remettez les mots des phrases dans l'ordre.

(a) Avignon – y – a – un – est – il – qui – en – à

(b) deux – il – en – qui – y – sont – vacances – a – en

(c) restent – y – maison – il – a – en – qui – trois – la – à

TERMES D'AFFECTION

Sylviane calls her father *papa.* Other common terms of endearment are:

maman (= *mère*) *tata, tatie* (= *tante*) *tonton* (= *oncle*)

mamie, mémé (= grand-mère) *papi, pépé* (= *grand-père*)

To anyone you love, including children, you can say:

mon chéri / ma chérie (*my darling*) *mon grand / ma grande* (*darling*)

To a small child, of either sex, people often say:

ma puce (*sweetie; literally: my little flea*)

LES FÊTES EN FAMILLE

Many French people will find any excuse to bring the (extended) family together to celebrate, especially around a meal. Obviously *Noël* (*le 25 décembre*) and *le Nouvel An* (*le 1er janvier*) offer such opportunities. Many families also celebrate *anniversaires* and *anniversaires de mariage* (wedding anniversaries). Some observe *la Fête des Mères* (Mother's Day, the last Sunday in May) and *la Fête des Pères* (Father's Day). Practising Catholics also celebrate *le baptême* (christening) of babies and *la première communion* of young adolescents.

Activité 21

Jeannot has posted some notes on his wall calendar in anticipation of his favourite events of the year. Complete the sentences below using the information in the notes on the calendar.

Complétez les phrases.

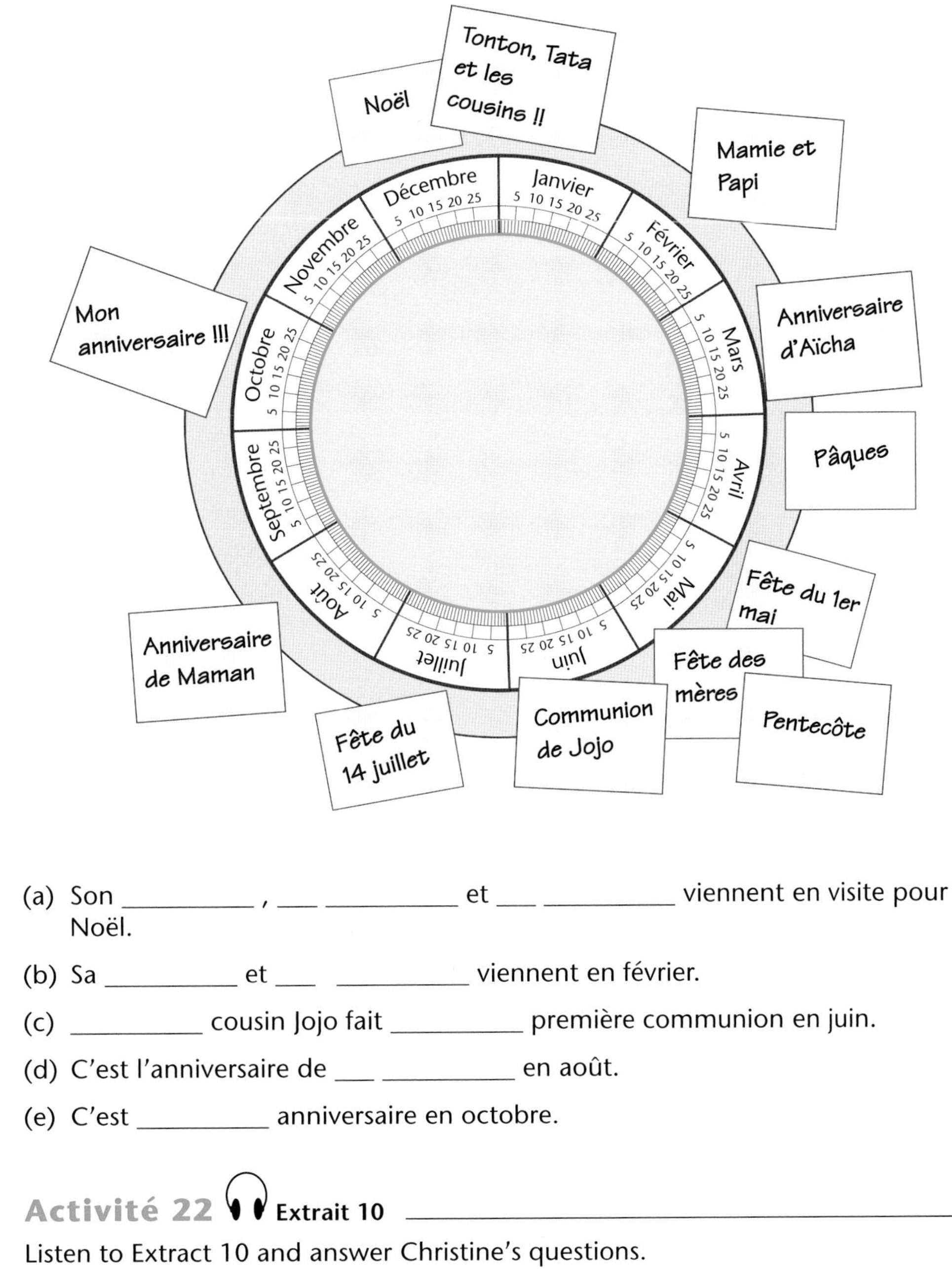

(a) Son __________ , ___ __________ et ___ __________ viennent en visite pour Noël.

(b) Sa __________ et ___ __________ viennent en février.

(c) __________ cousin Jojo fait __________ première communion en juin.

(d) C'est l'anniversaire de ___ __________ en août.

(e) C'est __________ anniversaire en octobre.

bientôt
soon

(ils) reviennent
they're coming back

Activité 22 Extrait 10

Listen to Extract 10 and answer Christine's questions.

Répondez aux questions de Christine.

Session 5

In this session you will revise physical characteristics and personality traits, physical feelings, the use of *en* with numbers, and possessive adjectives.

Activité 23 Extrait 11

craquant
stunning

des dents écartées
gappy teeth

très typée, de type méditerranéen
with typical Mediterranean looks

très vive
very lively

1 Listen to Extract 11. Which person describes himself and his wife in very flattering terms?

Quelle personne emploie les termes les plus flatteurs?

2 Listen again and tick the appropriate box for each person.

Réécoutez et cochez les personnes décrites.

	Francis	Sa femme	Patrick	Sa femme
fair-haired but slightly greying				
grey-haired				
dark-haired				
brown-eyed				
green-eyed				
blue-eyed				
tall				
has a long nose				
has white teeth				
a little overweight				
in need of a diet				
on a diet				
has a nice smile				
very handsome				
very beautiful				

3 Find the French equivalent of the following statements in the transcript.

Trouvez l'équivalent des phrases suivants.

(a) I've got blue eyes.

(b) I've got quite a long nose.

(c) I need to lose weight.

(d) She's also a little overweight.

(e) I'm very tall.

(f) I smile a lot.

(g) I'm grey-haired.

(h) She's very beautiful.

Activité 24 **Extrait 1**

1 Listen to Extract 1 and read the transcript. Pause the CD every time Lucas has finished speaking and read out Sylviane's part. Then press Play to listen to what Sylviane says. Do this exercise a few times, then try saying Sylviane's part without reading the transcript.

Parlez à la place de Sylviane.

2 Now do the same with Lucas's part.

Parlez à la place de Lucas.

Activité 25 **Extrait 12**

agissent par intérêt
(they) act out of self-interest

1 Listen to Extract 12. Tick box (a) or (b) for each of the six people interviewed.

Cochez les bonnes cases.

	Personne					
	1	2	3	4	5	6
(a) Talks about a person/people he/she likes						
(b) Talks about a person/people he/she does not like						

2 Listen again. Give the number of each statement in which you can hear an example of the use of *c'est ... qui ...* to emphasize meaning.

Qui utilise 'c'est ... qui ...'?

Activité 26

Answer the following question in about 40 words.

Répondez à la question.

'Les gens que vous n'aimez pas ont quel genre de personnalité?'

Use *d'abord* ('first of all') or *avant tout* ('above all'), *ensuite* ('then') and *finalement* or *et pour finir* ('and lastly') to list your preferences. Remember to use *les gens qui...* or *les personnes qui...*

Activité 27

emmener
to take

amener
to bring along

dès que
as soon as

The following text is an answerphone message left by someone called Lisa on a friend's answering machine. Choose the appropriate words from the box below to complete the message. (One word is used twice.)

Complétez le message en utilisant les mots dans l'encadré.

Nina, je t'appelle parce que Mathieu et André sont __________. Il y __________ a un qui a eu de la __________ hier soir et, ce matin, c'est l'autre! Ils sont bien __________ tous les deux et ne veulent rien __________. Ils __________ mal à la __________ et __________ ventre. Ils ont __________ des fruits de mer hier et j'ai pensé: ça y est, ils ont encore une __________, parce que __________ petite sœur, qui n'en a pas pris, va très bien. Heureusement, elle, elle est __________! Mais, pour être sûre, je vais __________ emmener __________ le docteur. En ce moment, avec les fêtes, il y __________ a seulement un __________ est là, c'est le Dr Muller. J'ai appelé __________ cabinet et j'ai __________ rendez-vous pour 3 heures, alors est-ce que tu peux venir garder Géraldine? Tu peux bien sûr amener __________ enfants. Rappelle-moi dès que tu peux.

allergie • malades • mangé • chez • son • leur • tes • manger • au • ont • pris • en pleine forme • les • en • tête • pâles • qui • fièvre

FAITES LE BILAN

Now that you have finished the first five sessions of the unit, you should be able to:

- Describe physical and personality characteristics ❑
- Describe what people are wearing ❑
- Describe physical states and sensations ❑
- Talk about age ❑
- Use adverbs to modify meaning ❑
- Use possessive adjectives *ton, notre, leur,* etc. ❑
- Use *en* with numbers ❑

Tick each box when you think you can do each point. If you are not sure about something, go back and revise it in the appropriate session.

Session 6

You are spending the weekend with Christine in Marseille. You go to the Prado beach where the annual kite festival, *La Fête du Vent*, is taking place.

Key Learning Points

- Talking about sport
- Using *jouer + à*
- Using *faire* in the negative

Activité 28

1 At one of the kiosks at the *Fête du Vent* you pick up a brochure about activities organised by a local sports club. List those activities which are likely to take place in or around water and give their English equivalents.
Quelles activités ont lieu dans, ou au bord de, l'eau?

Club des Plages du Prado

Activités sportives

aviron
boules
cerfs-volants
char à voile
course à pied
équitation
escalade
exercices d'assouplissement
fléchettes
haltérophilie
jet ski
lutte
musculation
natation
parapente
planche à voile
plongée
randonnées
roller
saut à l'élastique
ski nautique
spéléologie
tir à l'arc
ULM
varappe
voile
volley

(se renseigner au 04 91 48 55 93 pour dates et formalités d'inscription)

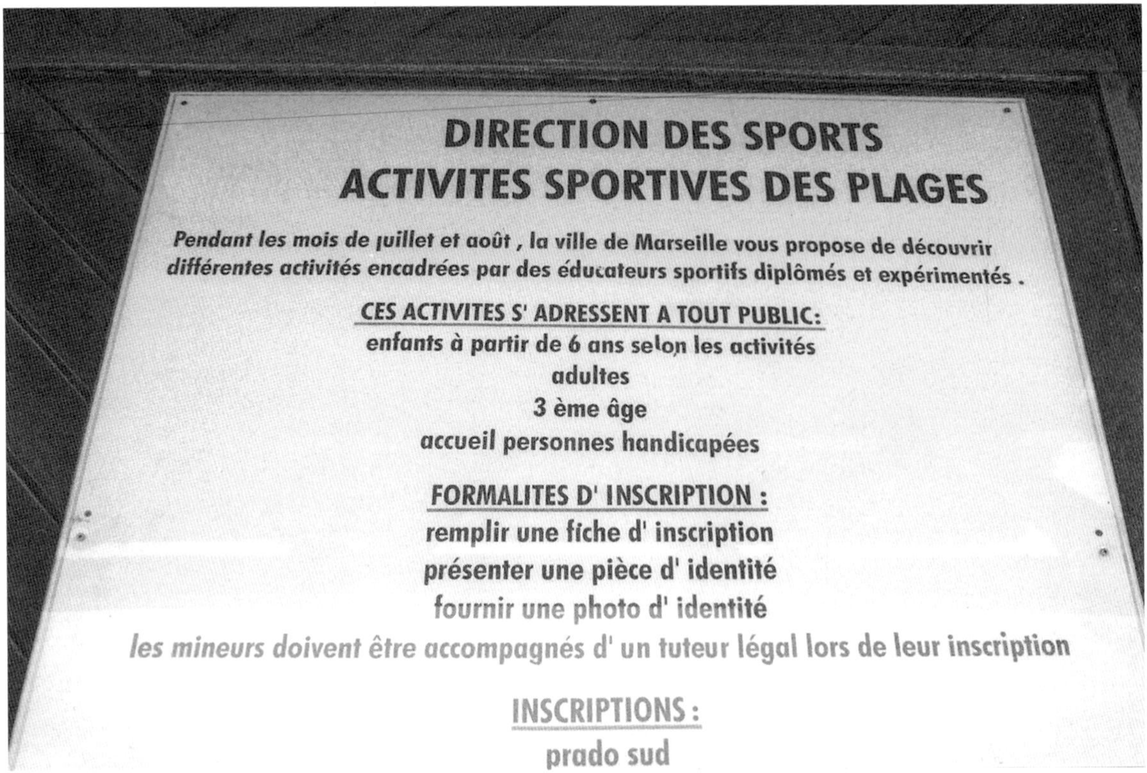

DIRECTION DES SPORTS
ACTIVITES SPORTIVES DES PLAGES
Pendant les mois de juillet et août , la ville de Marseille vous propose de découvrir différentes activités encadrées par des éducateurs sportifs diplômés et expérimentés .
CES ACTIVITES S' ADRESSENT A TOUT PUBLIC:
enfants à partir de 6 ans selon les activités
adultes
3 ème âge
accueil personnes handicapées
FORMALITES D' INSCRIPTION :
remplir une fiche d' inscription
présenter une pièce d' identité
fournir une photo d' identité
les mineurs doivent être accompagnés d' un tuteur légal lors de leur inscription
INSCRIPTIONS :
prado sud

2 Look at the sign above, of the sports and leisure services department of Marseille city council, and answer the following questions, in English.
Lisez l'information sur le panneau et répondez aux questions.

(a) When will the activities take place?
(b) Who will be supervising them?
(c) Who are they intended for?
(d) What three things must you do to enrol?

3 Look at the map of the Prado beaches opposite and answer the following questions in French. Remember to use *en* when answering a *combien* question.
Regardez la carte et répondez en français.

buvette (f.)
refreshment stall

(a) Où se trouvent les buvettes?
(b) Quelles plages n'ont pas de douches?
(c) Près de quelles plages se trouvent les jeux d'enfants?
(d) Où est-ce qu'on peut aller en cas d'accident?
(e) Il y a combien de consignes?
(f) Il y a combien de plages réservées aux planches à voile?

la signification
the meaning

(g) Quelle est la signification des mots '5 nds' à côté du pictogramme du jet-ski?

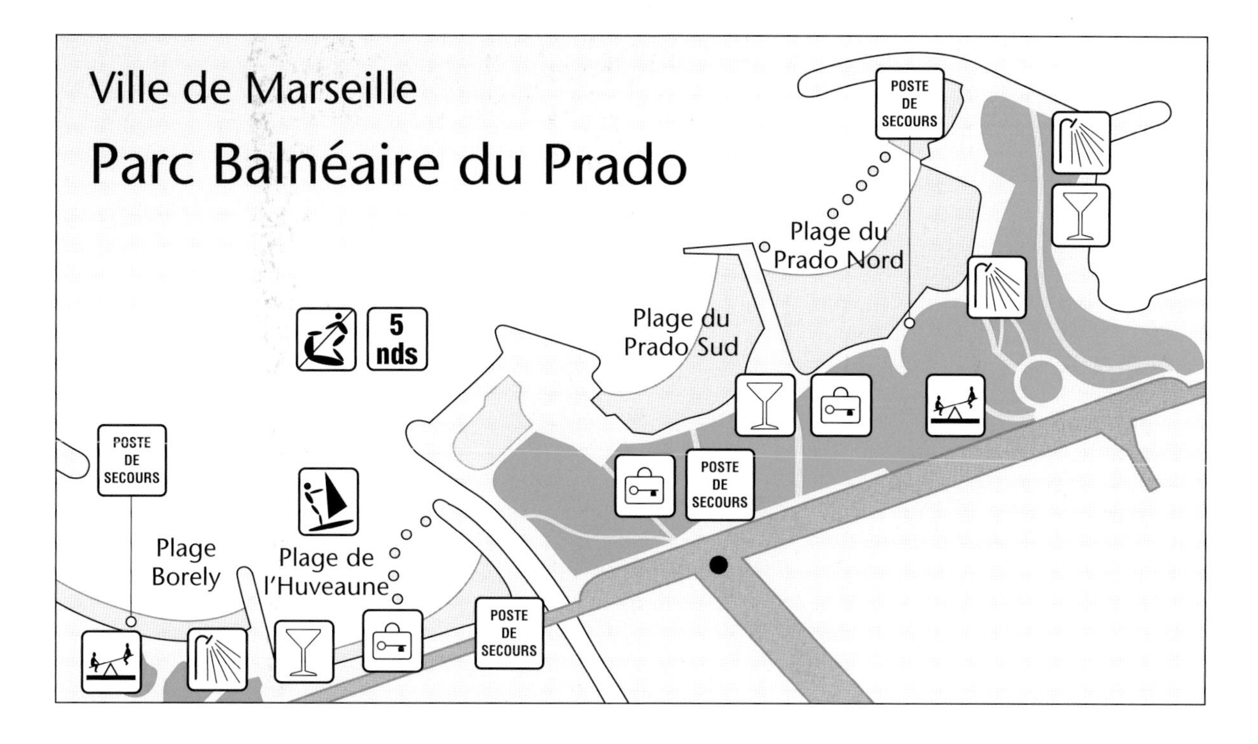

LE LANGAGE DU SPORT

Many French words connected with sport are borrowed from English, such as *le golf*, and *le football*. Some have been shortened, such as *le goal*, which in French means 'the goalkeeper', or *le surf*, which means 'surfing'. Others are a French invention, such as *le footing* ('jogging'). Words derived from English are masculine.

Word borrowing across languages can take many paths – *le tennis*, for example, comes from English 'tennis', which is in turn a corruption of the French '*Tenez!*', which is what players of *jeu de paume* ('royal tennis') used to say when serving.

Activité 29 Extrait 13

peu importe
it doesn't matter

tous les
combien?
how often?

même
here: even

la course à pied
running

j'essaie
I try

1 Listen to Extract 13, in which several people explain what sport they do and when or how often. Complete the table.

Complétez le tableau.

	What sport?	When? / How often?
Pierre		
Jean-Claude		
Colette		Twice a week
Patrick		As often as possible
	Running	
Lionel		

2 Listen to Jean-Claude's reply again and answer the following questions.

Réécoutez la réponse.

(a) How does he say 'I play tennis'?

(i) Je fais du tennis. (ii) Je joue au tennis. (iii) Je pratique le tennis.

(b) How does he say 'I play boules'?

(i) Je vais au terrain de boules. (ii) Je joue aux boules. (iii) Je vais au club de boules.

G 10 Using 'jouer à'

When talking about a sport, you can use *faire de la/du* + noun or *pratiquer le/la/l'* + noun:

*Vous **faites de la** natation régulièrement?*
Do you go swimming regularly?

*Mes enfants **pratiquent l'**aviron toutes les fins de semaine.*
My children go rowing every weekend.

For sports which could be regarded as games you can also use *jouer à la/au/aux* + noun:

*Nous **jouons à la** pelote basque une fois par mois.*
We play pelota once a month.

*Jérémie **joue au** golf tous les samedis matins.*
Jérémie plays golf every Saturday morning.

*Tu **joues aux** boules avec nous?*
Do you want to play boules with us?

When talking about cards and other games, use *jouer à*:

*Je ne **joue** pas **à la** belote.*
I don't play belote. (*la belote* is a popular French card game)

*J'aime bien **jouer au** billard avec mes amis.*
I like playing billiards with my friends.

*Pierrot **joue aux** échecs à son école.*
Pierrot plays chess at his school.

Activité 30 Extrait 14

Listen to Extract 14 and answer Sylviane's questions, following the prompts.

Répondez aux questions.

Activité 31  Extrait 15

vous faisiez
you used to do

Listen to Extract 15, in which two people explain what sport they don't do any more and why. Fill in the rest of the table.

Complétez le tableau.

	Sport he used to do	Reason(s) why he no longer does it
Francis		his back
Lionel		

G 11 Using 'faire' in the negative

When using *faire* in the negative form you must use *de* instead of *de la/du/des*:

*Je fais du vélo mais je **ne fais pas de** footing.*
I cycle but I don't go jogging.

*Elle **ne fait plus de** planche à voile, à cause de son dos.* She doesn't windsurf any more because of her back.

Note the use of *à cause de* to introduce a reason.

Activité 32

Read the transcript of Extract 15. Explain in French in about 30 words which sport Francis and Lionel no longer do and say why. Use their own words but make the appropriate changes; for example, use *Francis* instead of *je.*

Quel sport est-ce que Francis et Lionel ne font plus et pour quelles raisons?

Session 7

You meet up with Christine and her friend Nassera on the beach. They talk about how they spend their leisure time.

Key Learning Points

- Talking about hobbies
- Using *en* to replace *du/de la/de l'/des* + noun
- Using *jouer* + *de*

Activité 33 Extrait 16

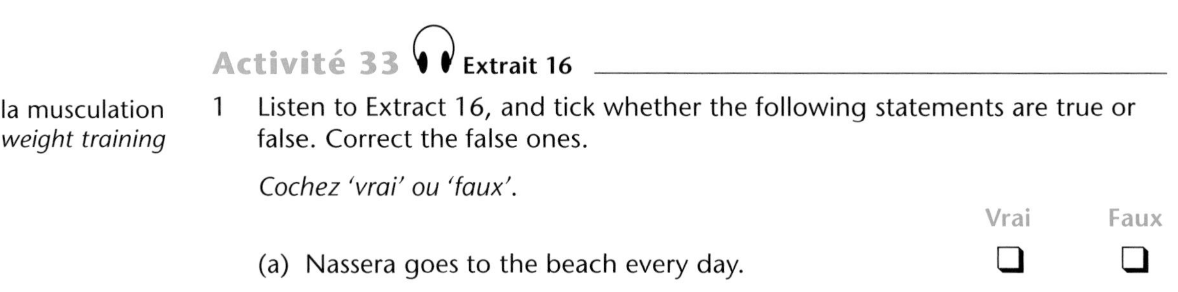

la musculation
weight training

1 Listen to Extract 16, and tick whether the following statements are true or false. Correct the false ones.

Cochez 'vrai' ou 'faux'.

	Vrai	Faux
(a) Nassera goes to the beach every day.	❑	❑
(b) In the winter she swims every evening at the swimming pool.	❑	❑
(c) She doesn't do weight training any more.	❑	❑
(d) This is because of her bad back.	❑	❑
(e) Christine does weight training regularly.	❑	❑
(f) She goes cycling once a month with friends.	❑	❑

2 Listen to the extract again, following the transcript. Underline *en* each time you hear it being used with a verb, e.g. *j'**en** fais à la piscine.*

Soulignez 'en' dans la transcription.

3 In each case, write down the words you think *en* replaces.

Indiquez les mots qu'il remplace.

G 12 Using 'en' to replace 'du/de la/de l'/des' + noun

In Session 4 you heard Sylviane say *'J'en ai cinq'* when asked how many brothers she has (see G9 if you need to revise this point). *En* is also used to replace nouns introduced by *du/de la/de l'/des.*

*Je fais **de la natation**; en hiver j'**en** fais à la piscine.*
I go swimming; in winter I swim in the pool.

*Je fais **du** vélo. – Tu **en** fais beaucoup?*
I cycle. – Do you cycle a lot?

*Je n'**en** fais pas quand il pleut.*
I don't (go cycling) when it's raining.

Here is an example of plural nouns substituted by *en*:

*Tu dois manger **des fruits** et **des légumes** tous les jours, tu n'**en** manges jamais.* You must eat fruit and vegetables every day; you never eat any.

Activité 34 Extrait 17

marche à pied (f.)
walking

1 Listen to Extract 17, in which some people are asked about sports they do.

(a) Fill in the following table.

Remplissez le tableau.

	What sport?	When?/ How often?
Élisabeth		
Jean-Claude		
Agnès		

(b) Summarize what Philippe says, in no more than 20 words, in French.

Que dit Philippe? Résumez.

2 Read the transcript of Extract 17 and underline all the occurrences of the word *en* and the words it replaces.

Lisez la transcription et soulignez 'en' et les mots qu'il remplace.

Activité 35

1 Answer the questions below. Follow the prompts and use *en*.

Exemple

– Denis fait de la photographie? (*not at the moment*)

– Non, il n'en fait pas en ce moment.

Répondez aux questions.

(a) Pierre fait de l'aviron? (*no longer*)

(b) Sylviane fait du jogging? (*every morning*)

(c) Les enfants mangent des légumes? (*they don't*)

(d) Vous prenez des vitamines? (*once a day*)

(e) Elles font de la danse? (*every Saturday*)

2 Write approximately 50 words in French about any sports and games you play.

- Say what sport(s) you do and how often.
- Talk about a sport you no longer do and say why. (If you want to mention a physical reason, refer to Activity 18.)
- Say what game(s) you play, and how often.
- Remember to use *en* when appropriate.

Quel(s) sport(s) faites-vous et à quel(s) jeu(x) jouez-vous?

If you don't play sports or games, write about a friend of yours instead.

Activité 36

Nassera has been to two family gatherings recently. She shows Christine the photos of her musical family. Match each drawing of a musical instrument with one of the five phrases she says below.

Quel instrument correspond à la phrase?

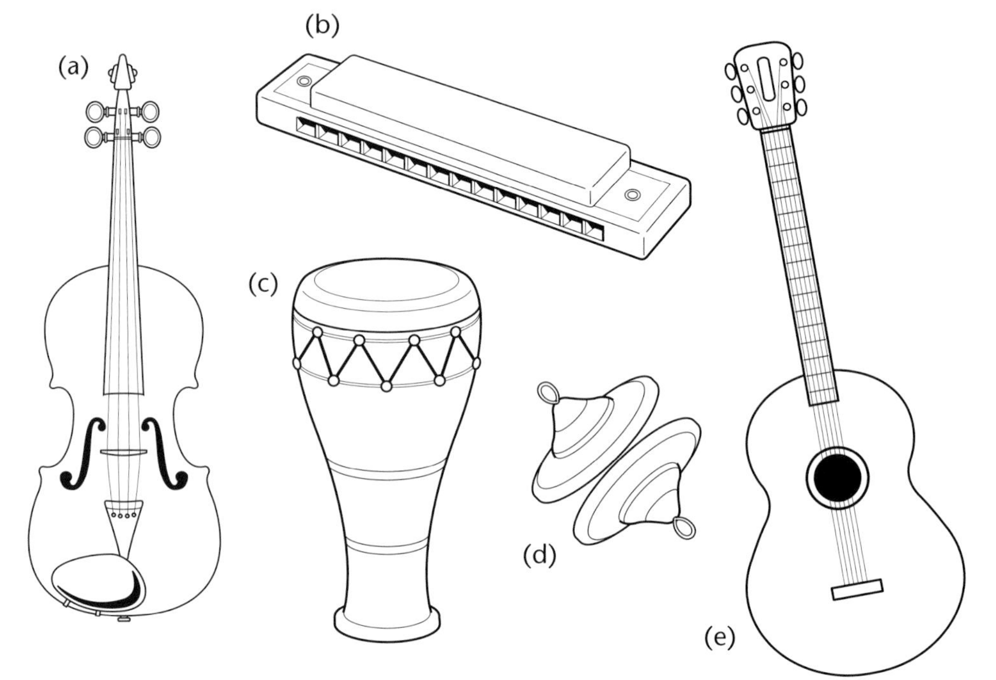

(i) Là, c'est une fête chez ma tante Valérie: elle joue de la guitare...

(ii) ... Et sur l'autre photo, c'est son fils, il joue de l'harmonica. Et nous, on chante!

(iii) Et là, c'est ma petite cousine, Estelle, déguisée en Espagnole, qui joue des castagnettes!

(iv) Bon, là, c'est un petit concert pour l'anniversaire de Leïla: je joue du tambour...

(v) ... Et Papa joue du violon.

G 13 Using 'jouer de'

In G10 you saw that *jouer à* is used when talking about games. When talking about playing musical instruments, however, *jouer* is always followed by *du, de la, de l'* or *des*, as shown in the examples in Activity 36.

Activité 37 Extrait 18

jeux de société
board games

ordinateur (m.)
computer

We have asked six people what games and musical instruments they play. Listen to Extract 18 and fill in the blanks using the appropriate words from the box below. You may want to refer to G10, Activity 36, G13 and G5.

Complétez le texte.

__________ aime les jeux. Il joue quelquefois avec __________ enfants __________ *Monopoly,* et il joue __________ *Go* et __________ échecs.

Agnès joue beaucoup à la Barbie avec __________ fille, et __________ voitures avec __________ fils. Philippe joue __________ des jeux de société, comme le *Trivial Poursuite*. Et il joue aussi __________ des jeux d'aventure sur l'ordinateur.

__________ joue parfois __________ la belote avec des amis. Elle aime bien aussi jouer __________ boules avec __________ mari.

Élisabeth joue de la __________ . Son mari Francis a joué __________ orgue pendant 30 ans. Agnès a joué __________ violoncelle mais elle a __________.

au • son • à • Jean-Claude • aux • de l' • ses • à • guitare • à • arrêté • aux • Maryse • sa • aux • son • du • au

LEARNING VOCABULARY

You will gain some familiarity with vocabulary just by working through activities and exercises. If you wish to take further steps to memorize words and phrases, it is a good idea to:

- select the words and phrases you need to use frequently;
- link them according to themes (e.g. key phrases needed to order food and drinks);
- choose a way of memorizing which works for you.

Popular memorization techniques include:

(a) recording useful vocabulary and listening to it;

(b) grouping related words and phrases on index cards or post-it notes and leaving them in prominent places (e.g. the fridge door), or on the relevant object;

(c) colour-coding by topic area;

(d) using pictures or diagrams to help you remember;

(e) writing mind maps (see example below).

Je joue
- au football
- à la pétanque
- au Monopoly
- au billard
- aux cartes
- du violoncelle
- de la clarinette
- de l'harmonica
- des castagnettes

Session 8

In this session, Nassera talks about where she has lived.

Key Learning Points

- Using the *passé composé* to talk about the past
- Pronouncing [e], [y] and [i] in past participle endings

Activité 38 Extrait 19

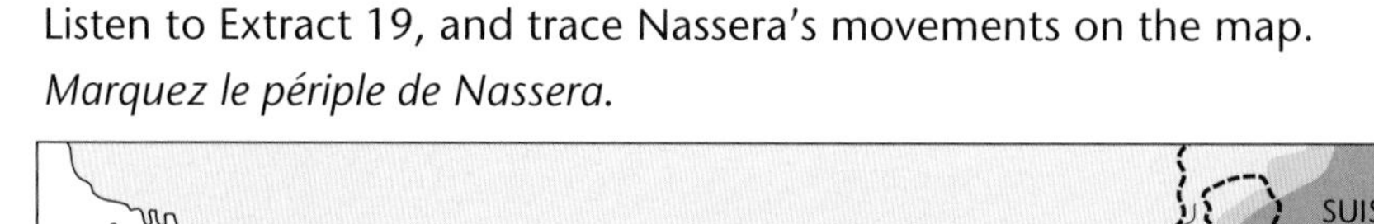

prénom (m.) *(first) name*

enfance (f.) *childhood*

j'ai grandi *I grew up*

une grosse boîte *here: a large company*

1 Listen to Extract 19, and trace Nassera's movements on the map.
Marquez le périple de Nassera.

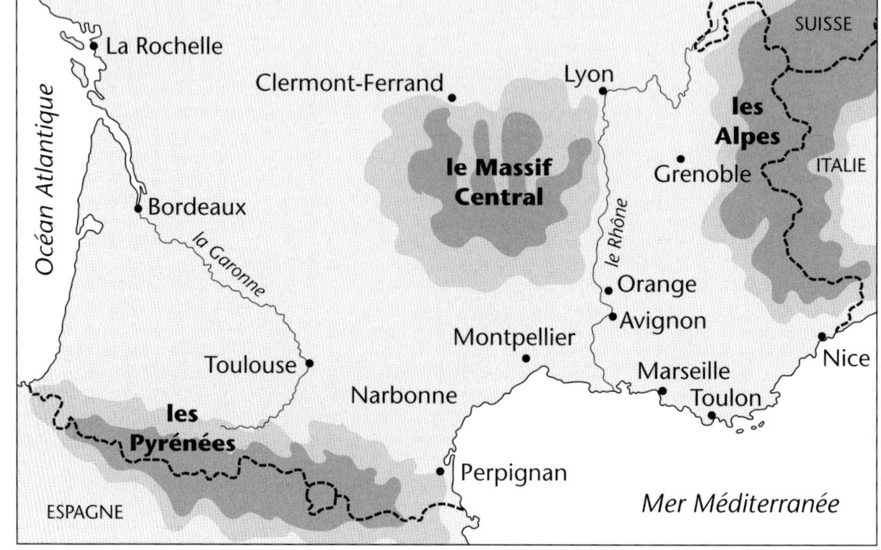

2 Listen again and write down any five examples of the *passé composé*. The verbs used in the dialogue are listed below in their infinitive form.

Notez cinq exemples du passé composé.

naître • vivre • passer • grandir • poursuivre • habiter • rester • quitter • partir • faire • avoir • trouver • être • retourner • revenir

3 Read the transcript of the dialogue and translate it into English.

Traduisez le dialogue en anglais.

TRANSLATING AND RE-TRANSLATING INTO FRENCH

Once you've translated a phrase or sentence into English, you can try re-translating it back into French. Take this phrase, for example:

J'ai eu de la chance. I had a stroke of luck.

You can put the English translation, 'I had a stroke of luck', to one side for a few days, translate it back into French and compare what you have written with the original French phrase. This is a good way of raising your awareness of the similarities and differences between the two languages.

Activité 39

1 Translate the following verbs into French, using the *passé composé*.

Traduisez en français.

(a) He was born.

(b) He lived.

(c) He returned.

(d) He entered.

(e) He left.

(f) He worked.

(g) He began.

(h) He met.

(i) It became (use *elle*).

(j) He went.

(k) It was (use *elle*).

(l) He discovered.

(m) He fell.

2 Read this short biography of the painter Gauguin and replace the verb in brackets with the correct form of the *passé composé*. Remember to check whether the verbs need *avoir* or *être,* and the past participle ending.

Mettez les verbes au passé composé.

Gauguin __________ (naître) à Paris en 1848. Il __________ (vivre) au Pérou entre 1851 et 1855, puis __________ (retourner) en France. En 1865, il __________ (entrer) dans la marine marchande. Mais, en 1871, il __________ (partir) vivre à Paris où il __________ (travailler) dans une maison de change. A partir de 1871, il __________ (commencer) à peindre; il __________ (rencontrer) Pissaro, et, pour lui, la peinture __________ (devenir) une vraie passion.

Après quelques années, il __________ (aller) rejoindre Van Gogh à Arles. Cette association __________ (être) la base d'un petit noyau célèbre d'artistes-peintres bohêmes. Pendant son séjour, il __________ (découvrir) la Provence et il __________ (tomber) amoureux de sa lumière et de ses paysages.

Paul Gauguin, *Autoportrait*, 1896

3 Write 70–80 words about yourself. Say where you were born, grew up, etc., using verbs in the *passé composé* where appropriate. (If you need to say 'I got married', use *je me suis marié(e)* – this form will be covered in Unit 8.)

Écrivez sur votre vie.

DEVELOPING PRONUNCIATION SKILLS

In Unit 3, Session 2, you learned how to use the transcripts and recordings to practise pronunciation and rehearse key phrases and structures. A useful technique for practising whole sentences is to say the end of a sentence and then work backwards, adding phrases until it is complete. For example:

... à Evian.

... au marché à Evian.

Je suis allé au marché à Evian.

Activité 40 Extrait 20, 21 et 19

1 Listen to the words in Extract 20 and count how many times you hear each one of the following sounds in each word. The first one has been done for you.

Comptez les sons.

Word	[e] as in *allé*	[i] as in *dit*	[y] as in *vu*
N° 1	3	1	
N° 2			
N° 3			
N° 4			
N° 5			
N° 6			

2 Listen to Extract 20 again and repeat the words.

Répétez les mots.

3 Listen to the sentences in Extract 21, which contain past participles ending in the sounds [e], [i] and [y]. Pause your CD after each sentence and repeat it.

Répétez.

4 Listen to Extract 19 again and this time practise 'shadowing' (see Unit 4, Session 1) both parts of the dialogue using the transcript. Make sure you pronounce the past participle endings clearly.

Écoutez et lisez à haute voix en même temps.

Activité 41

Go back to what you wrote for Activity 39 step 3. Read it to refresh your memory, then put your notes aside and record yourself talking about your life.

Enregistrez-vous.

Session 9

Nassera talks about her parents' life.

Key Learning Points

- Telling other people's life histories
- Using expressions of time referring to the past

Activité 42 Extrait 22

1 Complete the sentences using the English prompts and the French expressions in the box below. Then listen to Extract 22 to check your answers.

Complétez les phrases.

(a) Tes parents __________ (*were born in Algeria*)

(b) Ils __________ (*came to France*)

(c) Ils __________ (*arrived in 1963*)

(d) Mon père __________ (*got a contract*)

(e) Il __________ (*worked in Paris*)

(f) Ils __________ (*left for Grenoble*)

(g) Ils __________ (*didn't find any work*)

(h) Ils __________ (*went to Avignon*)

(i) Ils __________ (*opened a restaurant*)

(j) Ils __________ (*had my brother*)

(k) Je __________ (*was born*)

(l) Le restaurant __________ (*became quite famous*)

(m) Ils __________ (*have been quite successful*)

est devenu assez célèbre • ont eu mon frère • sont arrivés en 1963 • n'ont pas trouvé de travail • sont partis à Grenoble • suis née • ont bien réussi • sont allés à Avignon • sont nés en Algérie • a eu un contrat • sont venus en France • a travaillé à Paris • ont ouvert un restaurant

2 Write each verb from the box above in its infinitive form.

Mettez les verbes à l'infinitif.

L'ALGÉRIE ET LE MAGHREB

Nassera's parents come from Algeria, one of the French-speaking countries forming the *Maghreb* (North Africa). It was a French territory from 1830 to 1962, when it was liberated after a bitter and prolonged war of independence during which many Algerians left for France, where they form one of the largest minority populations. French is still used as the language of administration and commerce in Algeria even though Arabic is the official language.

DICTIONARY SKILLS: LOOKING UP VERBS

Many dictionaries show when a verb has an irregular conjugation and refer you from the headword to a verb table. So if you know the infinitive of a verb, you can check whether it has an irregular past participle or not.

Some dictionaries also give irregular past participles as headword entries, with a cross-reference to the infinitive, e.g.:

né(e) ptp de **naître**

or **né(e)** pp → **naître**

Alternatively, you can scan the verb tables to find the infinitive of a verb which is new to you.

Activité 43

1 Look at the transcript of Extract 22 and underline all the verbs in the *passé composé* conjugated with *être*, such as: *(ils)* ***sont*** *venus.*

Soulignez les verbes qui utilisent 'être' au passé composé.

2 Choose the correct translation for *à partir de.*

(a) apart from (b) from (c) before

Choisissez la bonne traduction.

3 Look at the transcript again and rewrite the story told by Nassera as if you were:

(a) her father (start with *'Je suis né en Algérie...'*);

(b) her mother speaking for both herself and her husband.

Remember to change references to family members as appropriate.

Racontez l'histoire à la place des parents de Nassera.

G 14 Using expressions of time referring to the past

- *en* + date:

Ils sont arrivés en France ***en*** *1963.*
They arrived in France in 1963.

- *à partir de* + date or event:

  ***À partir de** 1980, le restaurant est devenu assez célèbre.*
  From 1980 onwards, the restaurant became quite well-known.

  *Il a travaillé **à partir de** l'âge de dix-huit ans.*
  He worked from the age of 18.

  *J'ai vécu dans cette maison **à partir de** mon mariage.*
  I lived in this house from the day I was married.

- *pendant* + period of time:

  *Il a travaillé à Paris **pendant** six ans.*
  He worked in Paris for 6 years.

  ***Pendant** mon séjour j'ai visité beaucoup de musées.*
  I went to lots of museums during my stay.

Note that the English equivalents of *pendant* are 'for' (first example) and 'during' (second example).

- *il y a* + period of time:

  *J'ai trouvé mon premier emploi **il y a** cinq ans.*
  I got my first job five years ago.

  *Il est retourné en Algérie **il y a** longtemps.*
  He went back to Algeria a long time ago.

Il y a is always placed **before** the period of time it refers to.

Activité 44

1 Fill in the gaps in Mireille's story with expressions of time from G14.
Complétez le texte.

Mireille est née à Marseille __________ une trentaine d'années, dans une famille de commerçants. __________ l'âge de seize ans, elle a dû travailler dans le magasin de ses parents.

__________ 1994, elle est partie à Paris. Elle a trouvé un travail dans un café; et elle est restée dans la capitale __________ trois ans.

Ensuite, elle est allée faire des études à Rennes, mais elle ne les a pas finies. Elle a rencontré Jean-Marc. Ils sont tombés amoureux, et __________ ce moment-là ils ont décidé de vivre ensemble. Ils ont eu un fils __________ cinq ans et une fille __________ trois ans. Ils sont vraiment très heureux ensemble.

2 Translate the following sentences into French.
Traduisez en français.

(a) I left Edinburgh twenty years ago. (use *quitter* = to leave)
(b) At university, I studied Spanish for four years and Portuguese for two years.
(c) I worked from the age of twenty and I stopped two years ago.

Activité 45

Write approximately 80 words about events in the life of someone you know, using the *passé composé* and expressions of time from G14.

Parlez de quelqu'un que vous connaissez.

Session 10

In this session you will practise talking about sporting activities and hobbies, using *en* in place of *du/de la/de l'/des* + noun, using the *passé composé* and practising pronunciation of past participle endings.

Activité 46

Complete the following sentences using the verb *faire* and the name of a sport from the box.

Complétez les phrases en choisissant un sport dans l'encadré.

(a) En été ils font du velo sur les routes des Alpes.

(b) Mon cousin a deux chevaux, alors nous __________ ensemble une fois par mois.

(c) Je __________ sur la côte méditerranéenne.

(d) Tu __________ dans les Alpes ou dans les Pyrénées?

(e) Pour rester en forme, il __________ tous les jours.

(f) Vous __________ du surf ou du patinage, comme sport d'hiver?

escalade • vélo • ski • gymnastique • équitation • voile

Activité 47

Write about 50 words on what one of your friends does in his/her spare time.

Parlez des loisirs d'un(e) ami(e).

- Say what sports he/she likes to do, when and how often.
- Explain what games and/or instrument he/she likes playing, when and how often.

Try to use *en* (in place of *du/de la/de l'/des* + noun).

Activité 48 Extrait 23

j'ai nettoyé
cleaned

je suis allée me promener
I went for a walk

emballé
packed

déménager
to move house

ail (*pronounced* 'aye')
garlic

1 Listen to Extract 23, in which six people explain what they did the day before. Write their names in the appropriate row. (You don't have to understand all the details to answer this question, just to get the gist of the replies.)

Qu'ont-ils fait hier?

	Names
He/She went out.	
He/She stayed at home.	
He/She stayed at home and also went out.	

2 Listen again and write the name of the person who did the following.

Écrivez les noms.

Who...

(a) worked at the office?

(b) visited a garden?

(c) took her neighbour's children to the park?

(d) tidied up his garage?

(e) went to the market and bought some garlic?

(f) cleaned the house and the garden?

(g) went home after work and packed up for the removal?

(h) read the newspaper?

(i) went shopping?

Activité 49 Extrait 24

Listen to Extract 24 and fill in the gaps. You may need to listen several times.

Complétez les phrases.

Question Qu'est-ce que vous __________ hier?

Pierre J'ai __________ toute la __________ et __________ avec un ami le soir.

Question __________ vous avez fait ce matin?

Colette Ce matin je __________ donner des cours de sophrologie à __________ dans une maison de retraite.

Pascal Ce matin, __________ du courrier __________.

Maryse Ce matin, j'ai fait __________.

Question Qu'est-ce que vous avez préparé?

Maryse __________ un bœuf bourguignon.

Activité 50 Extrait 25

faire une balade
to go for a walk

1 Listen to Extract 25 and answer the questions.

Répondez aux questions.

(a) When are the interviewees referring to?

(b) Which of the interviewees spent the time in the company of others?

2 Listen again and answer the questions.

Répondez aux questions.

(a) What did each of the following people do?

Colette … **Philippe** …

Pascal … **Maryse** …

(b) Who gives the reason for doing what they did, and what is it?

Activité 51

Write 70–80 words explaining what you did yesterday and last weekend. You may find it useful to use some of the verbs and phrases from the transcripts of Extracts 23, 24 and 25.

Qu'est-ce que vous avez fait?

Activité 52 Extrait 26

passer un entretien
to have an interview

Listen to Extract 26 and play the role of the person being interviewed for a job at a leisure centre. Answer the questions following the prompts.

Répondez aux questions.

Activité 53 Extrait 27

1 Listen to Extract 27, a poem by Jacques Prévert. Pay particular attention to the pronunciation of the sounds [e] and [y] underlined in the text.

Écoutez le poème de Prévert.

Escales

Il a jeté son encre
aux îles Atoulu
aux îles Atouvu
aux îles Atousu
aux îles Atouvoulu
Et terminé ses jours
aux îles Napavécu.

2 Try to work out the meaning of the poem, and which verbs are hidden in lines 2, 3, 4, 5 and 7. Remember that *tout* means 'all' or 'everything'.

Trouvez le sens.

3 Read out the poem along with the CD to practise the pronunciation of the sounds [e] and [y].

Lisez le poème.

JACQUES PRÉVERT (1900–1977)

Prévert was a popular poet and screenwriter who was influenced by the Surrealist movement. His poems, such as those contained in the well-known collection *Paroles*, have been put to music and are widely taught in French schools. In them he describes the banalities of life through gentle but humorous word play and at times exaggerated imagery. They also reveal his empathy for the less privileged and his fight against injustice. His numerous screenplays, including the one for the famous 1937 film *Quai des Brumes*, are much revered and gained him the *Grand Prix national du cinéma* shortly before his death.

FAITES LE BILAN

Now that you have finished the last five sessions of the unit, you should be able to:

- Talk about sport ❑
- Talk about hobbies ❑
- Use *jouer* + *à* or *de* ❑
- Use *faire* in the negative ❑
- Use *en* to replace *du,* etc. + noun ❑
- Use the *passé composé* to describe your own or others' past ❑
- Use expressions of time in the past ❑

Tick each box when you think you can do each point. If you are not sure about something, go back and revise it in the appropriate session.

Corrigés

Activité 1

1 (a) (viii), (b) (x), (c) (vii), (d) (iv), (e) (ix), (f) (vi), (g) (iii), (h) (v), (i) (ii), (j) (i)

2 c, j, f, i, a, g, h, d, e, b

Activité 2

To help you with your pronunciation, you may want to highlight the feminine endings in your transcript and cross out the masculine endings which are not pronounced. For example:

… comme je suis gran~~d~~! Et toi aussi, tu es gran**de**!

Activité 3

Here are three possible descriptions. Check that you have used the correct adjective endings.

Je suis de taille moyenne. Je ne suis pas très mince, mais je ne suis pas gros(se) non plus.

Mon père est plutôt gros, mais il est aussi très grand.

Ma mère est petite, mince et très jolie.

Activité 4

1 (a) Colette
(b) Jean-Claude
(c) Pascal et Maryse
(d) Pierre
(e) Agnès et Philippe

2

	Pierre	J-Claude	Colette	Agnès	Philippe	Pascal	Maryse
Qui est grand(e)?	✓	✓				✓	
Qui est petit(e)?				✓	✓		✓
Qui a les yeux marron?	✓				✓*	✓	
Qui a les cheveux bruns?		✓			✓		
Qui est assez mince?	✓		✓				
Qui est assez fort(e)?		✓					✓**

* Philippe says he has *les yeux noirs,* but Agnès describes them as *marron.*

** Maryse says: *Je suis assez ronde.*

3 (a) fair-haired (*il est blond*)
   (b) (i) dark (*il a les cheveux noirs*)
       (ii) slightly bald (*il est un petit peu chauve*)
   (c) brown (*elle a les cheveux châtain*)

Activité 5

1

Person	described by	Taille	Cheveux	Yeux
Pierre	himself	**1m 80**	**châtain clair**	
	his mother Colette	**1m 82**	**blond**	
Philippe	himself		bruns/courts	**noirs**
	his wife Agnès		**noirs/coupés très courts**	**marron**
Pascal	himself		**presque chauve**	
	his wife Maryse		**un petit peu chauve**	

2 Here is a sample answer, which could apply to both male and female.

J'ai le visage rond et un long nez, des dents très blanches et un beau sourire mais j'ai le teint pâle. J'ai les cheveux blonds et raides et les yeux bleu foncé.

Activité 6

Check your answers on the CD and in the transcript.

Activité 7

1 Gaby doesn't seem to think a lot of her bosses!

2

Adjective in the text	English equivalent	Is it masc. form?	Is it fem. form?	Masc. form	Fem. form
exécrable	*ghastly*	✓			exécrable
agressif	*aggressive*	✓			agressive
compréhensive	*understanding*		✓	compréhensif	
négative	*negative*		✓	négatif	
gentils	*kind*	✓			gentille(s)
serviables	*helpful*	✓			serviable(s)
drôles	*funny*	✓			drôle(s)
amicale	*friendly*		✓	amical	
hypocrite	*hypocritical*		✓	hypocrite	
curieuse	*nosy*		✓	curieux	

Activité 8

1 Check your answers on the CD and in the transcript.

Activité 9

1 Philippe and Colette describe people they like; Agnès describes someone she doesn't like; Jean-Claude, Francis and Maryse describe both.

2 *méchant(e)* – nasty

incompétent(e) - incompetent

avare – miserly

ennuyeux/-euse – boring

malhonnête – dishonest

désagréable – unpleasant

mélancolique – melancholy

sincère – sincere

poli(e) – polite

intelligent(e) – intelligent

tolérant(e) – tolerant

3 / 4 Here is the completed table:

	Opposé dans l'extrait	**Masculin**	**Féminin**
méchant(e)	gentil, gentille		
incompétent(e)	compétent		compétente
avare	généreux		généreuse
ennuyeux/-euse	rigolo, drôle, intéressante, amusante	drôle, intéressant, amusant	rigolote
malhonnête	honnête		honnête
désagréable	agréable	agréable	
mélancolique	joviale	jovial	
sincère	hypocrite	hypocrite	
poli(e)	impolies*	impoli	
intelligent(e)	bêtes		bête
tolérant(e)	intolérants		intolérante

* Remember that *des personnes* ('people') is feminine, whether you're talking about males or females.

Activité 10

(a) (viii), (b) (vi), (c) (i), (d) (ii), (e) (iii), (f) (vii), (g) (v), (h) (iv)

Activité 11

1 Colette and Patrick.

2

audacieux	**le Coq**	gai	**le Cochon**
confiant	**le Cochon**	amoureux	**le Serpent**
intuitif	le Serpent	travailleur*	**le Dragon**
gentil	**le Cochon**	désinter -essé	**le Cochon**
fidèle	**le Dragon**	honnête	**le Coq**

* The feminine of this is *travailleuse*.

Activité 12

This is a sample answer written by a woman. Make sure you have used the correct adjective endings when talking about yourself.

> Je suis **assez** gentille et serviable. Au travail, je ne suis pas **particulièrement** audacieuse, mais je suis travailleuse et j'ai les pieds sur terre, et je suis **généralement** calme, parce que j'ai **plutôt** bon caractère. Comme je suis timide, je ne suis pas **vraiment** chaleureuse, mais heureusement, j'ai le sens de l'humour.

Activité 13

To refer to:	Lucas would say:
Antoine	mon père
Véronique	**ma fille**
Valentin	**mon frère**
Leïla	**ma belle-fille**
Charlotte	**ma mère**
Raoul	**mon beau-frère**
Célia	**ma tante**

Activité 14

1 (a) leur grand-mère
(b) son oncle
(c) son petit-fils
(d) ma belle-fille
(e) ma petite-fille

2 (a) son petit-fils et sa petite-fille
(b) son fils
(c) sa belle-fille
(d) sa fille
(e) son beau-frère
(f) sa belle-sœur

Activité 15

1 Here is the completed text:

> Caroline, c'est la **sœur** de **Thomas**. Elle n'est pas sur la photo – c'est elle qui la prend. Son **frère** Thomas est à côté de sa copine **Dominique** qui est journaliste. L'**oncle** de Caroline s'appelle **Michel**. Il a 65 ans, mais il veut rester jeune. Il adore porter les vêtements de son **fils** qui s'appelle **Julien**.

2 (a) (iii), (b) (i), (c) (v), (d) (ii), (e) (vi), (f) (iv)

Activité 16

1 (a), (c), (e), (f), (h), (j), (k), (l)

2 (a) (vii), (b) (vi), (c) (i), (d) (ix), (e) (iii), (f) (viii), (g) (v), (h) (ii), (i) (iv)

3 Check your answers on the CD and in the transcript.

Activité 17

1 Here is a sample answer:

> Je suis né(e) en **1949 (mil neuf cent quarante-neuf)**, j'ai **cinquante-cinq** ans. Mon **fils** est né en **1980** (mil neuf cent quatre-vingts) il **a vingt-quatre ans.**

Ma **fille**, elle **a vingt ans**. Mes **parents,** ils **ont quatre-vingt-dix et quatre-vingt-onze ans.**

Check that you used the verb *avoir* in the right form (for example *ils/elles ont*) and that you have not forgotten the word ans after the number of years (unless of course you used *la* + a word in *-aine* for one of the persons.). If you want to say how old someone is going to be, you need to use *aller* + *avoir*:

Mes fils jumeaux sont nés en 1984, ils **vont avoir** vingt ans.

2 Here are two sample answers. Remember to use *parce que* when giving your reason:

Aujourd'hui, j'ai mis un chemisier à carreaux bleus et blancs et une jupe de laine bleu marine. Je porte aussi un foulard autour du cou parce qu'il fait froid.

Aujourd'hui, je porte une chemise en coton vert foncé et un pantalon en velours noir. Je n'ai pas mis ma cravate parce que je ne vais pas au bureau.

Activité 18

1 You should have ticked all the boxes except (c), (g), (k) and (o).

2 (a) (vii), (b) (iii), (c) (ix), (d) (v), (e) (xii), (f) (ii), (g) (vi), (h) (xiii), (i) (iv), (j) (xi), (k) (xv), (l) (x), (m) (viii), (n) (xiv), (o) (i)

Activité 19

1

avoir + noun/ adjective	*avoir* + *un/une* + noun	*avoir* + *du/de la/des* + noun	*avoir* + *mal* + *à la/au/aux* + part of the body	*être* + adjective/ phrase
il a froid il a chaud il n'a pas faim il a soif	il a une allergie il a un gros rhume	il a de la fièvre il a des vertiges	il a mal à la tête il a mal au dos il a mal à la gorge	il est malade il n'est pas bien il est fatigué il est en pleine forme

2 Here is a sample answer:

Ce matin, je ne suis pas en pleine forme: j'ai mal à la gorge **et** j'ai un peu mal à la tête aussi. Je n'ai pas faim **mais** j'ai soif: j'ai déjà bu six verres d'eau! J'ai mal au dos, **mais** de toute façon, j'ai toujours mal au dos, **parce que** je travaille à mon ordinateur sept heures par jour. Je pense que j'ai peut-être un rhume **parce qu**'il a fait très froid hier.

Did you remember how to use *ne ... pas* with the verbs?

Activité 20

1 (a) Oui, j'en ai deux.
(b) Oui, il en a trois.
(c) Oui, elle en a un.
(d) Oui, il en a une.
(e) Oui, j'en ai sept.
(f) Oui, il en a beaucoup.

2 (a) Il y en a un qui est à Avignon.
(b) Il y en a deux qui sont en vacances.
(c) Il y en a trois qui restent à la maison.

Activité 21

(a) Son **oncle**, **sa tante** et **ses cousins** viennent en visite pour Noël.

(b) Sa **grand-mère** et **son grand-père** viennent en février.

(c) **Son** cousin Jojo fait **sa** première communion en juin.

(d) C'est l'anniversaire de **sa mère** en août.

(e) C'est **son** anniversaire en octobre.

Activité 22

Check your answers on the CD and in the transcript.

Activité 23

1 Patrick does. However, as you can gather from the laughter which follows, his description of himself was very tongue-in-cheek.

2

	Francis	Sa femme	Patrick	Sa femme
fair-haired but slightly greying	✓			
grey-haired			✓	
dark-haired		✓		✓
brown-eyed		✓		
green-eyed			✓	
blue-eyed	✓			
tall			✓	
has a long nose	✓			
has white teeth	✓	✓		
a little overweight	*	✓		
needs to diet	✓			
on a diet		✓		
has a nice smile		✓	✓	
very handsome			✓	
very beautiful				✓

* Francis says he has a bit of a tummy – *un petit peu de ventre.*

3 (a) J'ai les yeux bleus.
(b) J'ai un nez assez long.
(c) Je dois faire un régime.
(d) Elle est aussi un peu forte.
(e) Je suis très grand.
(f) (Je suis) très souriant.
(g) (avec) des cheveux poivre et sel.
(h) (Ma femme est) très belle.

Activité 24

1/2 When you do this exercise, make sure you don't pronounce the final *-d, -s* and *-t* in *grand, gros* and *petit.*

Activité 25

1

	1	2	3	4	5	6
(a) Talks about a person/people he/she likes						✓
(b) Talks about a person/people he/she does not like	✓	✓	✓	✓	✓	

2 Persons 4 and 6.

Note how the second person starts with '*Quelqu-un qui est...*' ('Someone who is...).

Activité 26

Here is a sample answer. Check that you used the plural form throughout and also the masculine form for adjectives agreeing with *les gens* and the feminine form for those agreeing with *les personnes.*

> Avant tout, je déteste les gens qui sont racistes et intolérants. Ensuite je n'aime pas du tout les hypocrites. Et pour finir, je n'aime pas beaucoup les personnes qui sont vraiment méchantes ou qui sont vraiment bêtes.

Activité 27

> Nina, je t'appelle parce que Mathieu et André sont **malades**. Il y **en** a un qui a eu de la **fièvre** hier soir et, ce matin, c'est l'autre! Ils sont bien **pâles** tous les deux et ne veulent rien **manger**. Ils **ont** mal à la **tête** et **au** ventre. Ils ont **mangé** des fruits de mer hier et j'ai pensé: ça y est, ils ont encore une **allergie**, parce que **leur** petite sœur, qui n'en a pas pris, va très bien. Heureusement, elle, elle est **en pleine forme**! Mais, pour être sûre, je vais **les** emmener **chez** le docteur. En ce moment, avec les fêtes, il y **en** a seulement un **qui** est là, c'est le Dr Muller. J'ai appelé **son** cabinet et j'ai **pris** rendez-vous pour 3 heures, alors est-ce que tu peux venir garder Géraldine? Tu peux bien sûr amener **tes** enfants. Rappelle-moi dès que tu peux.

Activité 28

1 l'aviron *rowing*

le char à voile *land yacht (racing)*

le jet ski *jet-skiing*

la natation *swimming*

la planche à voile *windsurfing*

la plongée *diving*

le ski nautique *water skiing*

la voile *sailing*

(le volley *volley ball: included here since it is a very popular sport on French beaches*).

Remember to learn any new noun with its article (*le* or *la*).

2 (a) The advertised activities are scheduled for July and August ('... *les mois de juillet et août*').

(b) They will be supervised by qualified and experienced instructors ('... *encadrées par des éducateurs sportifs diplômés et experimentés*').

(c) They are intended for everyone ('*Ces activités s'adressent à tout public*').

(d) To enrol, you must fill in a form, produce proof of your identity and provide a photo of yourself *(' remplir..., présenter..., fournir... '*).

3 (a) Entre la plage Borély et la plage de l'Huveaune et sur les plages du Prado Sud et du Prado Nord. (*icon of a drinking glass*).

(b) La plage de l'Huveaune et la plage du Prado Sud. (*shower icon*).

(c) Près de la plage Borély et de la plage du Prado Nord (*see-saw icon*).

(d) On peut aller à un Poste de Secours.

(e) Il y **en** a trois (*suitcase icon*).

(f) Il y **en** a une. (la plage de l'Huveaune) (*windsurfing icon*)

(g) C'est la vitesse maximum autorisée pour les jet-skis. (nds *is short for noeuds, 'knots'*).

Activité 29

1

	What sport?	**When? / How often?**
Pierre	Diving	Nearly every weekend, in the winter and in the summer.
Jean-Claude	Tennis	
	Swimming	Often.
	Boules	In the summer, when on holiday, after lunch.
Colette	Swimming	Twice a week.
	Walking	Twice a week, on Monday and Wednesday mornings.
	Gardening*	When the weather's fine, practically every day.
Patrick	Cycling	As often as possible.
	Running	Once, or if possible, twice a week.
Lionel	Jogging	About twice a week, maximum.

* Colette, who has a huge garden, regards gardening as a sport.

2 (a) (iii) (The other two options also mean 'I play tennis'.)

(b) (ii)

Activité 30

Check your answers on the CD and in the transcript.

Activité 31

	Sport he used to do	Reason(s) why he no longer does it
Francis	swimming	his back
		his operation
Lionel	(deep-sea) diving	an accident

Activité 32

Here is a sample answer:

> Francis ne **fait** pas de natation en ce moment, à cause de **son** dos et de **son** opération.
>
> Lionel **a** pratiqué la plongée sous-marine et **a** arrêté à cause d'un accident.

Did you check verb endings and agreement of possessive adjectives (*son* etc.)?

Activité 33

1 (a) Faux. (*'le plus souvent possible'*.)

(b) Vrai.

(c) Vrai.

(d) Vrai.

(e) False. (*'Non, je n'en fais pas…'*)

(f) False. (*'J'en fais tous les week-ends'*)

2 / 3

j'**en** fais [**de la natation**]

j'**en** fais [**de la natation**]

tu **en** fais [**de la musculation**]

je n'**en** fais plus [**de la musculation**]

tu **en** fais [**de la musculation**]

je n'**en** fais pas [**de la musculation**]

tu **en** fais [**du vélo**]

j'**en** fais [**du vélo**]

Note that *en* in *en semaine* is a preposition used in an expression of time, not the pronoun representing *du/de la/de l'/de* + noun.

Activité 34

1 (a)

	What sport?	When? / How often?
Élisabeth	Walking	Rarely during the week, a lot on Sundays.
Jean-Claude	Tennis	(He tries to) every week.
Agnès	Jogging	When she's got time.

Remember that the normal place for expressions of frequency in French is immediately after the verb (see G15 in Session 2 of Unit 4). For example:

> *Vous en faites **souvent**? J'en fais **rarement** en semaine. J'essaie d'en faire **toutes les semaines**.*

(b) Philippe a fait du football (*or* a joué au football) jusqu'à l'âge de 15 ans mais il n'**en** fait plus.

2 Vous **en** faites souvent?… J'**en** fais rarement… j'**en** fais beaucoup (**de la marche à pied**)

vous **en** faites… J'essaie d'**en** faire (**du tennis**)

Vous **en** faites… J'**en** fais… (**du footing)**

n'**en** fais plus… **(du football)**

Activité 35

1 (a) Non, il n'**en** fait plus.

(b) Oui, elle **en** fait tous les matins.

(c) Non, ils n'**en** mangent pas.

(d) Oui, j'**en** prends une fois par jour/Oui, nous en prenons une fois par jour.

(e) Oui, elles **en** font tous les samedis.

2 Here is a sample answer. The most relevant grammar points have been highlighted.

Je fais **de la natation** avec des amis. J'**en** fais deux fois par semaine, le mercredi soir et le samedi matin. Mais je **ne** fais **plus de** tennis parce que j'ai mal au dos.

J'aime beaucoup jouer **aux** cartes avec ma famille. Nous jouons assez régulièrement, en général le soir ou le dimanche.

Activité 36

(a) (v), (b) (ii), (c) (iv), (d) (iii), (e) (i)

Activité 37

Jean-Claude aime les jeux. Il joue quelquefois avec **ses** enfants **au** Monopoly et il joue **au** Go et **aux** échecs.

Agnès joue beaucoup à la Barbie avec **sa** fille et **aux** voitures avec **son** fils. Philippe joue **à** des jeux de société, comme le Trivial Poursuite. Et il joue aussi **à** des jeux d'aventure sur l'ordinateur.

Maryse joue parfois **à** la belote avec des amis. Elle aime bien aussi jouer **aux** boules avec **son** mari.

Élisabeth joue de la **guitare**. Son mari Francis a joué **de l**'orgue pendant trente ans.

Agnès a joué **du** violoncelle mais elle a **arrêté**.

Activité 38

1 Nassera's life has taken her from Avignon to Marseille to Grenoble to Avignon to Marseille.

2 Here is a complete list of verbs which are in the *passé composé* in Extract 19:

naître Tu **es née** en France. Mes parents **son nés** en Algérie.

vivre J'**ai** toujours **vécu** en France.

passer Tu **as passé** ton enfance à Avignon?

grandir J'**ai grandi** à Avignon.

poursuivre J'**ai poursuivi** mes études à Marseille.

habiter Tu **as habité** combien de temps à Marseille?

rester Je **suis restée** trois ans ici.

quitter J'**ai quitté** la région.

partir Je **suis partie** à Grenoble.

faire Qu'est-ce que tu **as fait** à Grenoble?

avoir J'**ai eu** de la chance.

trouver J'**ai** tout de suite **trouvé** un emploi.

être J'**ai été** secrétaire.

retourner Je **suis retournée** à Avignon.

revenir Je **suis revenue** à Marseille pour la mer.

3 Here's a possible translation of the conversation in Extract 19. Compare it with your own version. There's no such thing as a perfect translation.

Christine Nassera, that's a nice name. What does it mean?

Nassera It means 'victorious' or 'protector' in Arabic.

Christine Your parents come from North Africa. But you were born in France, weren't you?

Nassera Yes. My parents were born in Algeria, but I was born in Avignon. And I've always lived in France.

Christine Did you spend your childhood in Avignon?

Nassera I grew up in Avignon, but I went to university in Marseilles.

Christine How long did you live in Marseilles, then?

Nassera I stayed here three years. Then I left the area and went to Grenoble.

Christine What did you do in Grenoble?

Nassera I had a stroke of luck. I found a job straight away. I worked as a secretary in a large firm for two years and then afterwards I came back to Avignon.

Christine And now you live in Marseilles?

Nassera Yes, that's right! I came back to Marseilles to be by the sea! I love the sea.

Activité 39

1
- (a) Il est né.
- (b) Il a vécu.
- (c) Il est retourné.
- (d) Il est entré.
- (e) Il est parti.
- (f) Il a travaillé.
- (g) Il a commencé.
- (h) Il a rencontré.
- (i) Elle est devenue.
- (j) Il est allé.
- (k) Elle a été.
- (l) Il a découvert.
- (m) Il est tombé.

2 Here is the completed text:

> Gauguin **est né** à Paris en 1848. Il **a vécu** au Pérou entre 1851 et 1855, puis **est retourné** en France. En 1865, il **est entré** dans la marine marchande. Mais, en 1871, il **est parti** vivre à Paris où il **a travaillé** dans une maison de change. A partir de 1871, il **a commencé** à peindre; il **a rencontré** Pissaro, et, pour lui, la peinture **est devenue** une vraie passion.
>
> Après quelques années, il **est allé** rejoindre Van Gogh à Arles. Cette association **a été** la base d'un petit noyau célèbre d'artistes-peintres bohêmes. Pendant son séjour, il **a découvert** la Provence et il **est tombé** amoureux de sa lumière et de ses paysages.

3 Here is a sample answer for you to compare with your own. Note that if a woman was speaking, she would use the forms in brackets. Check that you have used the appropriate past participle endings in your own version.

> Je suis d'origine écossaise: je suis né(e) à Édimbourg. J'ai grandi à Glasgow mais j'ai fait mes études à Londres. Puis j'ai quitté l'Angleterre et je suis allé(e) vivre en France en 1986: j'ai habité et travaillé à Marseille. Ensuite, je suis retourné(e) en Écosse. Je me suis marié(e) en 1990 et j'ai eu deux enfants. De 1990 à 2003 nous avons vécu à Stirling et maintenant nous habitons à Aberdeen.

Activité 40

1

Word	[e] as in *allé*	[i] as in *dit*	[y] as in *vu*
N° 1 hérédité (*heredity*)	3	1	
N° 2 hurluberlu (*crank*)			3
N° 3 riquiqui (*tiny*)		3	
N° 4 turlututu (*fiddle-de-dee*)			4
N° 5 charivari (*hullabaloo*)		2	
N° 6 féminité (*femininity*)	2	2	

Note that in French there's only one *-ni-* syllable in *féminité*.

2 Check your answer on the CD and in the transcript.

3 Check your answer on the CD and in the transcript.

4 To make the exercise easier, you may want to take Christine's part first and, when you're satisfied with your work, switch to Nassera's part.

Activité 41

Check the sample answer given in step 3 of Activity 39 above.

- Try to be as natural as possible when you are recording yourself.
- Make sure you pronounce the dates and the past participles correctly.

Activité 42

1 Check your answer with the CD and the transcript.

2 devenir, avoir, arriver, trouver, partir, naître, réussir, aller, naître, avoir, venir, travailler, ouvrir.

Activité 43

1 You should have underlined:

sont nés

sont venus

sont arrivés

sont partis

sont allés

es née

suis née

est devenu

2 (b)

3 Check that you used the correct forms of the *passé composé* and of the possessive adjectives in each version.

(a) Je suis né en Algérie, mais après la guerre je suis venu en France. Je suis arrivé en 1963. J'ai eu un contrat intéressant; j'ai travaillé à Paris pendant six ans puis je suis parti à Grenoble. Mais je n'ai pas trouvé (*) de travail. Alors je suis allé à Avignon et j'ai ouvert un restaurant. J'ai eu mon fils, puis ma fille aînée, et enfin Nassera. Le restaurant est devenu assez célèbre, j'ai bien réussi et je suis très heureux à Avignon maintenant.

(b) Nous sommes nés en Algérie, mais après la guerre nous sommes venus en France. Nous sommes arrivés en 1963. Mon mari a eu un contrat intéressant; il a travaillé à Paris pendant six ans puis nous sommes partis à Grenoble. Mais nous n'avons pas trouvé (*) de travail. Alors nous sommes allés à Avignon et nous avons ouvert un restaurant. Nous avons eu notre fils, puis notre fille aînée, et enfin Nassera. Le restaurant est devenu assez célèbre, nous avons bien réussi et nous sommes très heureux à Avignon maintenant.

(*) When using the negative form of the verb in the *passé composé*, remember that the *ne ... pas* go around the verb *avoir* or *être.* (e.g. ils **ne** sont **pas** restés en Algérie; ils **n**'ont **pas** vécu très longtemps en France).

Activité 44

1 Here is the completed text:

Mireille est née à Marseille **il y a** une trentaine d'années, dans une famille de commerçants. **À partir de** l'âge de seize ans, elle a dû travailler dans le magasin de ses parents.

En 1994, elle est partie à Paris. Elle a trouvé un travail dans un café; et elle est restée dans la capitale **pendant** trois ans.

Ensuite, elle est allée faire des études à Rennes, mais elle ne les a pas finies. Elle a rencontré Jean-Marc. Ils sont tombés amoureux, et **à partir de** ce moment-là ils ont décidé de vivre ensemble. Ils ont eu un fils **il y a** cinq ans et une fille **il y a** trois ans. Ils sont vraiment très heureux ensemble.

2 (a) J'ai quitté Édimbourg il y a vingt ans.

(b) À l'université j'ai étudié l'espagnol pendant quatre ans et le portugais pendant deux ans.

(c) J'ai travaillé à partir de l'âge de vingt ans et j'ai arrêté il y a deux ans.

Activité 45

This is what a French woman wrote about her father. Compare it with your own version and check your *passé composé* and the use of expressions of time (highlighted below).

> Mon père est né à Bilhac, **en 1945**. Il est allé au lycée à Beaulieu, puis il est parti faire ses études à Paris. **Pendant un stage** dans la Loire, il a rencontré ma mère et ils ont décidé de se marier **en 1970**. Ma sœur est née **en 1972**, mon frère est né **en 1974** et moi, en **1976**. Mes parents ont vécu à Paris **pendant longtemps**, mais **il y a quelques années** ils sont retournés vivre à Bilhac.

Activité 46

Check that you used *du, de la, de l'* and *des* appropriately between *faire* and the name of the sport and that you used the correct form of *faire*.

(a) En été ils **font du vélo** sur les routes des Alpes.

(b) Mon cousin a deux chevaux, alors nous **faisons de l'équitation** ensemble une fois par mois.

(c) Je **fais de la voile** sur la côte méditerranéenne.

(d) Tu **fais de l'escalade** (*or* **du ski**) dans les Alpes ou dans les Pyrénées?

(e) Pour rester en forme, il **fait de la gymnastique** tous les jours.

(f) Vous **faites du ski** (*or* **de l'escalade**), du surf ou du patinage, comme sport d'hiver?

Activité 47

Here is a sample answer:

> Mon ami Michel aime bien faire du tennis. En été, il en fait tous les samedis, quand il fait beau. En hiver il préfère jouer au billard. Il joue aussi du saxophone. Il en joue quelquefois le mercredi soir dans un pub avec un groupe d'amis musiciens de jazz.

Remember that *en* precedes the verb.

Activité 48

1

	Names
He/She went out.	**Jean-Claude, Colette, Maryse**
He/She stayed at home.	**Pascal**
He/She stayed at home and also went out.	**Élisabeth, Philippe**

Note: *J'ai travaillé au bureau.* I worked at the office.

2 (a) Jean-Claude

(b) Colette

(c) Élisabeth

(d) Pascal

(e) Maryse

(f) Élisabeth

(g) Philippe

(h) Élisabeth

(i) Élisabeth (You may also have said Maryse, who went to a market.)

Activité 49

Question Qu'est-ce que vous **avez fait** hier?

Pierre J'ai **travaillé** toute la **journée** et **mangé** avec un ami le soir.

Question **Qu'est-ce que** vous avez fait ce matin?

Colette Ce matin je **suis allée** donner des cours de sophrologie à **un vieux monsieur** dans une maison de retraite.

Pascal Ce matin, **j'ai fait** du courrier **électronique**.

Maryse Ce matin, j'ai fait **la cuisine**.

Question Qu'est-ce que vous avez préparé?

Maryse **J'ai préparé** un bœuf bourguignon.

Activité 50

1 (a) Last weekend.

(b) None were on their own except Colette: She says *Je...* whereas Pascal and Maryse use *nous* and Philippe says *avec ma famille.*

2 (a) **Colette** went to the seaside.

Pascal went to the cinema.

Philippe went for a walk in the forest.

Maryse went to the swimming pool and to a Chinese restaurant.

(b) Colette says she went to the seaside because the weather was really nice (*il a fait très beau*).

Activité 51

Here is a sample answer to compare with your own. Check the past participles of your verbs and any agreements.

> Hier, je suis allé(e) faire des courses le matin et quand je suis rentré(e), j'ai nettoyé la maison et j'ai fait la cuisine: j'ai préparé un rôti de porc et des mousses au chocolat. Le week-end dernier, j'ai rencontré des amis et nous sommes allés voir le nouveau magasin de jardinage qui se trouve au bord de la rivière, puis nous avons visité une exposition de meubles anciens. J'ai aussi rangé mon garage et joué aux cartes avec mes enfants.

Activité 52

Check your answer on the CD and in the transcript.

Activité 53

2 In the opening line, the author is playing on two words which are pronounced the same: *encre* (ink) and *ancre* (anchor). *Jeter son ancre* is 'to cast one's anchor', while '*il a jeté son encre*' means 'he has thrown away his ink'.

The imaginary names of the islands hide *passé composé* forms: *(il) a tout lu* (he's read everything), *(il) a tout vu* (he's seen everything), *(il) a tout su* (he's known everything), *(il) a tout voulu* (he's wanted everything) and finally *(il) n'a pas vécu* (he's not lived).

8

Rencontres

In the first half of this unit you will be learning how to describe various types of holiday. This will involve saying where places are and what there is to see of interest, as well as what you do and have done on holiday. In the second half, you will learn how to discuss work and daily routines, talk about qualifications and express agreement or disagreement.

Throughout we will help you develop further strategies to improve your pronunciation and to use the language you have learnt to understand authentic French. By the end of the unit you will feel more confident about what to say when meeting people in a social or professional context.

VUE D'ENSEMBLE

Session	Key Learning Points
1	• Talking about distance and location • Giving distances and dimensions
2	• Describing various types of holidays • Using *y* meaning 'there' • Pronouncing the sound [ʀ]
3	• Using reflexive verbs • Talking about what you do on holiday • Writing informal letters
4	• Understanding and using *déjà / pas encore* • Using reflexive verbs in the *passé composé*
5	Practising what you have learned so far
6	• Talking about work • Using *depuis* with the present tense
7	• Talking about qualifications • Using words and phrases relating to education
8	• Using the imperfect tense • Comparing the past with the present
9	• Agreeing and disagreeing • Writing formal letters • Talking about daily routines
10	Practising what you have learned so far

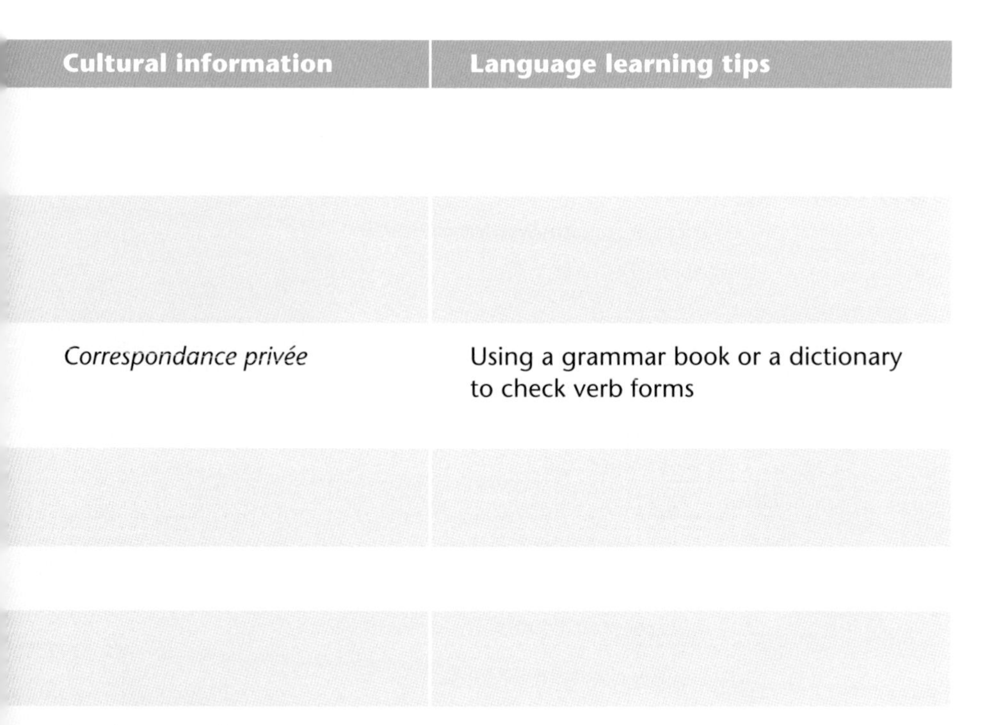

Cultural information	Language learning tips
Correspondance privée	Using a grammar book or a dictionary to check verb forms
Les études en France	
Correspondance formelle	

Session 1

You are at the Tourist Information Centre in Avignon with Christine, looking for brochures on places of interest to visit in the area.

Key Learning Points

- Talking about distance and location
- Giving distances and dimensions

Activité 1

1 Read the following descriptions of six places in the Avignon area and write the correct place names in the gaps (a) – (f) on the map opposite.

Écrivez les noms des endroits sur la carte.

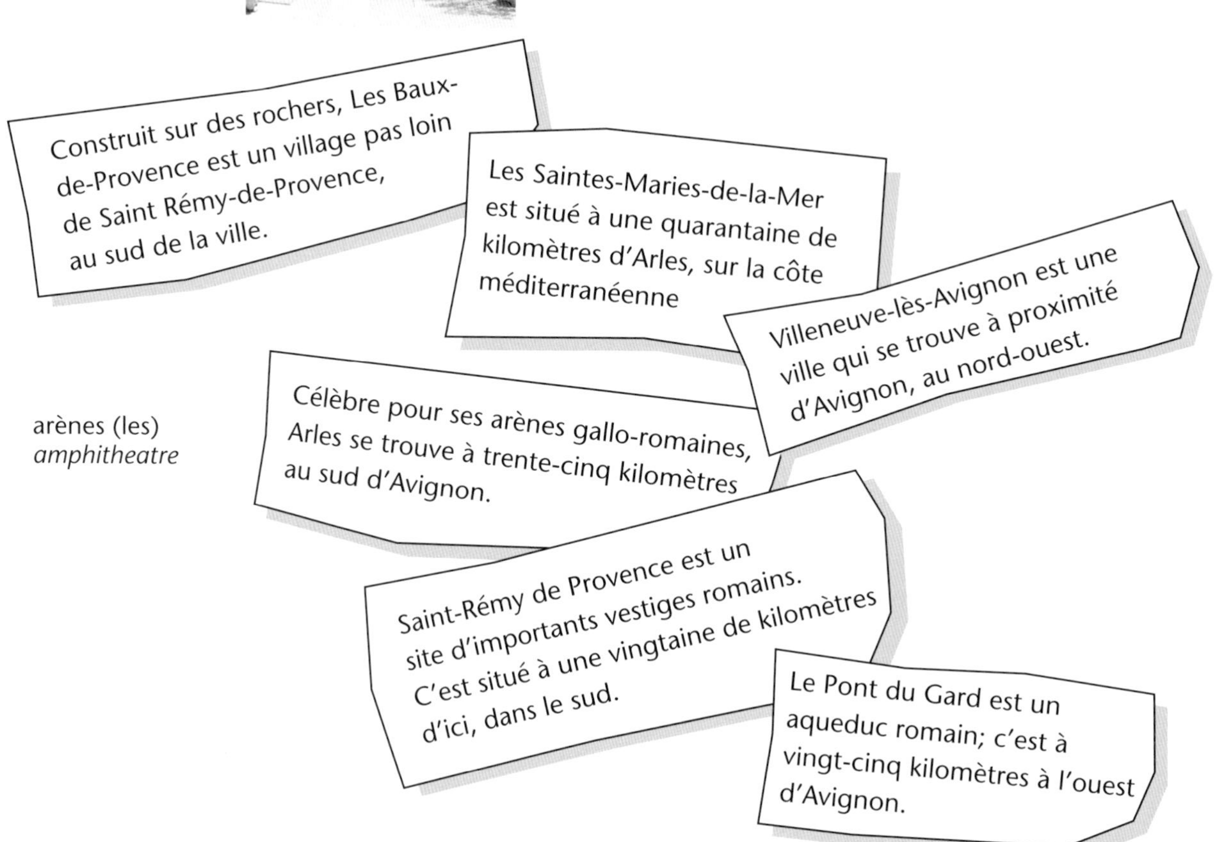
Construit sur des rochers, Les Baux-de-Provence est un village pas loin de Saint Rémy-de-Provence, au sud de la ville.
Les Saintes-Maries-de-la-Mer est situé à une quarantaine de kilomètres d'Arles, sur la côte méditerranéenne
Villeneuve-lès-Avignon est une ville qui se trouve à proximité d'Avignon, au nord-ouest.
Célèbre pour ses arènes gallo-romaines, Arles se trouve à trente-cinq kilomètres au sud d'Avignon.
Saint-Rémy de Provence est un site d'importants vestiges romains. C'est situé à une vingtaine de kilomètres d'ici, dans le sud.
Le Pont du Gard est un aqueduc romain; c'est à vingt-cinq kilomètres à l'ouest d'Avignon.

arènes (les)
amphitheatre

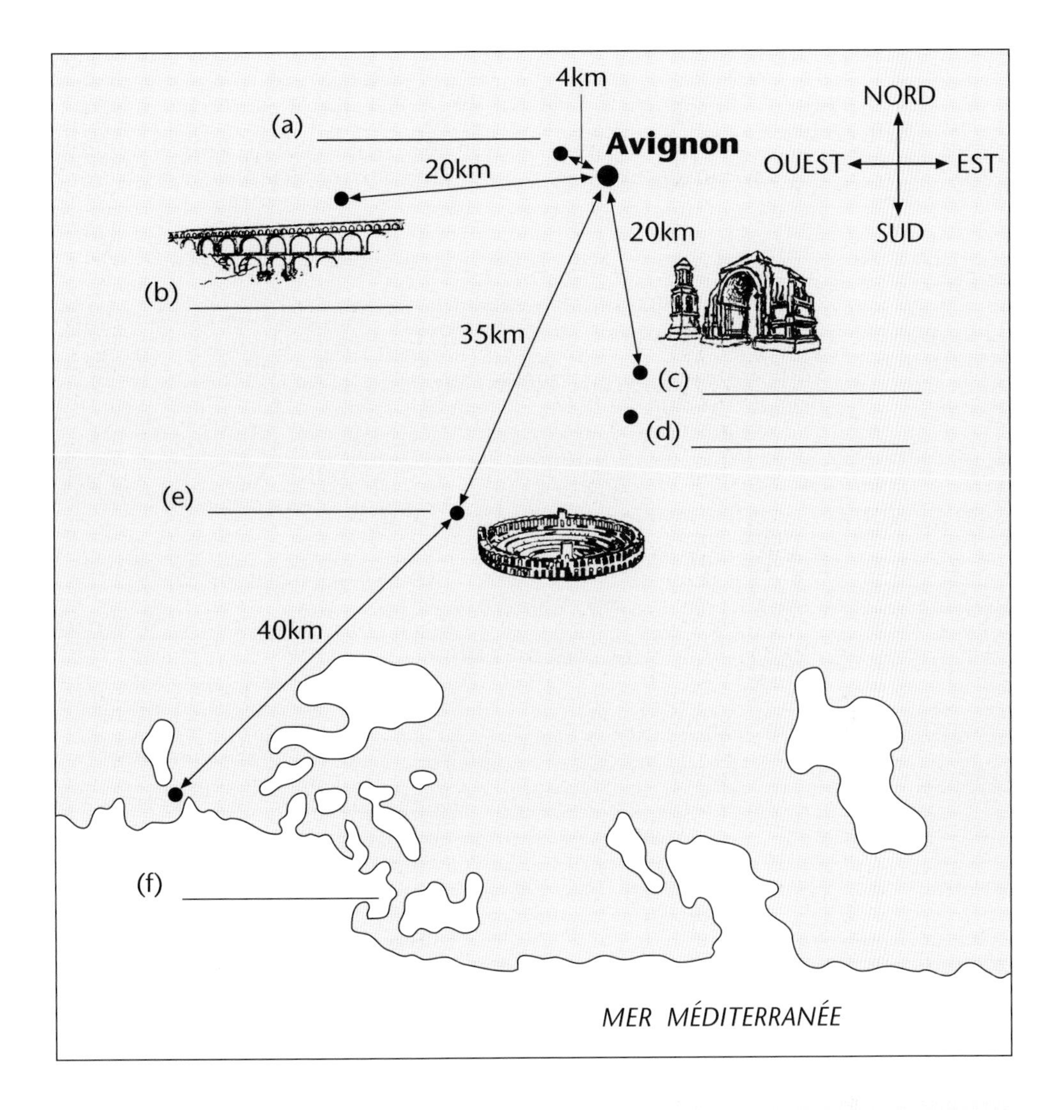

2 Read the descriptions again and find the French for the following phrases.

Trouvez les expressions.

(i) … is near Avignon…

(ii) … a village not far from…

(iii) … is (located) about 20 kilometres from here.

(iv) … is 35 kilometres from…

Activité 2 Extrait 28

vestiges romains
Roman remains
célèbre
famous
d'ailleurs
besides

1 Listen to Extract 28, in which you overhear part of a conversation between a tourist and an employee, and answer the following questions.
Répondez aux questions.

(a) What is the tourist mainly interested in seeing?
(b) Which ancient sites are mentioned? (Give three.)
(c) Which ancient town is not far from the sea?
(d) What is the Roman aqueduct called?

2 Listen to Extract 28 again. Tick the correct information that is mentioned.
Cochez la bonne phrase.

(a) Villeneuve-lès-Avignon se trouve:
(i) loin d'Avignon. ❑
(ii) à proximité d'Avignon. ❑
(iii) tout près d'Avignon. ❑

(b) (Saint Rémy-de-Provence,) c'est à:
(i) une dizaine de kilomètres d'ici. ❑
(ii) une vingtaine de kilomètres d'ici. ❑
(iii) une trentaine de kilomètres d'ici. ❑

(c) Les Baux-de-Provence, c'est à:
(i) environ dix kilomètres de Saint Rémy. ❑
(ii) cinq kilomètres de Saint Rémy. ❑
(iii) environ cinq kilomètres de Saint Rémy. ❑

(d) Saintes-Maries-de-la-Mer est situé à:
(i) 48 kilomètres d'Arles. ❑
(ii) 28 kilomètres d'Arles. ❑
(iii) 38 kilomètres d'Arles. ❑

(e) (Le Pont du Gard,) il fait:
(i) 173 mètres de long ❑
(ii) 273 mètres de long ❑
(iii) une centaine de mètres de long ❑

(f) et:
(i) 39 mètres de haut. ❑
(ii) une trentaine de mètres de haut. ❑
(iii) 49 mètres de haut. ❑

G 15 Giving distances and dimensions

To state the distance between two places, you can use the following structures:

> ***C'est à*** *5 kilomètres* ***de*** *Saint Rémy.*
> **It's** 5 kilometres **from** Saint Rémy.
>
> *Arles* ***est situé*** *à 25 kilomètres* ***des*** *Beaux-de-Provence.*
> Arles **is** 25 kilometres **from** Beaux-de-Provence.
>
> *Villeneuve-lès-Avignon* ***se trouve à proximité d'****Avignon.*
> Villeneuve-lès-Avignon **is near** / **is in the vicinity of** Avignon.

To express length, height, width and depth, you can use the following structure:

> *Le Pont du Gard* ***fait*** *273 mètres* ***de long****.*
> The Pont du Gard **is** 273 metres **long**.

Note the use of the verb ***fait***, where English would simply use 'is'.

> ***Il fait*** *49 mètres* ***de haut****.*
> **It's** 49 metres **high** / **tall**.
>
> *L'arène* ***fait*** *100 mètres* ***de large****.*
> The arena **is** 100 metres **wide**.
>
> ***Il fait*** *400 mètres* ***de profondeur****.*
> It's 400 metres **deep**.

If you don't know the exact distance or measurements, you can say 'about' in either of two ways:

- using *environ*:

  C'est à ***environ*** *cinq kilomètres de Saint Rémy.*

  La Tour Eiffel fait ***environ*** *300 mètres de haut.*

- using *'une dizaine / douzaine / quinzaine / vingtaine / trentaine / quarantaine / cinquantaine / soixantaine / centaine + de'* (but you can only use these numbers):

  C'est à ***une vingtaine de*** *kilomètres d'ici.*
  It's **about twenty** kilometres from here.

  Ça fait ***une quarantaine de*** *mètres de haut.*
  It's **about forty** metres high.

(In Unit 7, Session 3 you came across '*il a la quarantaine*' meaning 'he's about forty').

Activité 3 Extrait 29

A friend of Christine's asks you what there is to visit in the area. Listen to Extract 29 and answer the questions following the prompts.

Répondez aux questions.

Activité 4 Extrait 30 et 31

You are now planning to explore the Pyrenean side of southern France.

1 Look at the map below and listen to Extract 30, in which a tourist agent describes Pau and three other towns. Put the names of the three towns in the appropriate gap on the map. (It doesn't matter if you don't spell them correctly for the purposes of this activity.)

Cherchez les noms des trois villes.

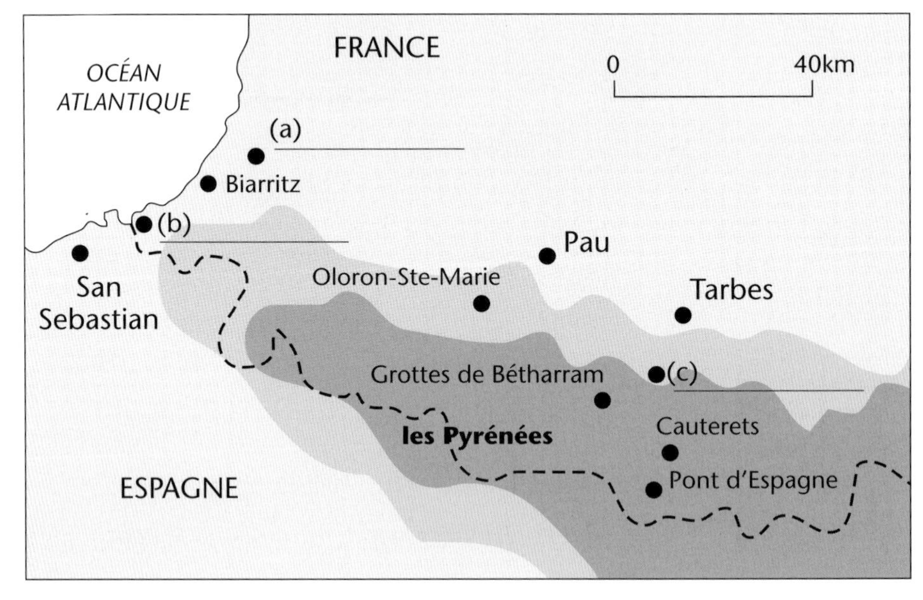

2 Look at the map, and using no more than 20 words for each town, write descriptions of where Tarbes and Cauterets are, following the style of the descriptions in Extract 30.

Décrivez la situation de Tarbes et Cauterets.

3 Listen to the sample descriptions in Extract 31, and read aloud with the transcript ('shadow') to check your pronunciation. Record yourself.

Écoutez et répétez. Enregistrez-vous.

Activité 5

Write approximately 50 words about an interesting tourist site you know well, saying how big it is and how far it is from nearby towns or other sites.

Décrivez un site que vous connaissez.

Session 2

While in the tourist information centre with Christine, you meet a couple on holiday called Jacques and Pierrette.

Key Learning Points

- Describing various types of holidays
- Using *y* meaning 'there'
- Pronouncing the sound [ʀ]

Activité 6 Extrait 32

1 Listen to Extract 32, in which Christine is talking to Jacques about holidays in the Pyrenees, and answer the questions.

Répondez aux questions.

(a) Which town does he go to in the winter? And in the summer?

(b) What types of holiday does he like?

2 Read the transcript and find the French for the following sentences.

Trouvez l'expression française.

(a) I often spend my holidays there.

(b) We go there every year.

(c) I often go there.

G 16 Using 'y' meaning 'there'

The pronoun '*y*' often means 'there' and is used to avoid repeating the name of a place. It is positioned just before the verb, like '*en*' (see Unit 7, Session 7, G12).

Vous connaissez les Vosges? – Oui, j'y passe souvent mes vacances. Do you know the Vosges? – Yes, I often spend my holidays **there**.

*J'aime beaucoup Nice; j'**y** vais tous les ans.*
I love Nice. I go **there** every year.

*Vous aimez Arles? – Non, je n'**y** vais plus.*
Do you like Arles? – No, I don't go **there** any more.

Note that when *y* follows *je* or *ne*, the '*-e*' is dropped: *j'y*, *n'y*.

Activité 7 Extrait 33

1 Answer the following questions in writing, using 'y' and following the model.

Répondez aux questions.

Exemple

Vous allez souvent à l'étranger? (Oui…)

Oui, j'y vais souvent.

(a) Vous allez chaque année à Paris? (Oui…)

(b) Elle va quelquefois à la montagne? (Oui…)

(c) Il reste chez lui l'été? (Oui…)

(d) Vous n'allez pas à la montagne cet hiver? (Non…)

(e) Il ne va jamais en Italie? (Non…)

2 Listen to Extract 33 and give answers to the same questions as in the previous step without looking at your written version.

Répondez aux questions oralement.

Activité 8 Extrait 34

à l'étranger
abroad

le vertige
vertigo

1 Listen to Extract 34, in which people are being asked about the sorts of holidays they prefer. Complete the grid below including either a verb or a noun, as in the two answers already given.

Remplissez le tableau.

Personne	**aime / préfère / apprécie**	**déteste**
Pierre		les vacances organisées
Colette	rester chez elle; …	
Agnès		
Pascal		
Maryse	… ; les vacances à la montagne	
Élisabeth		

2 Look at the transcript of Extract 34 and find the French for the following expressions.

Trouvez l'expression française.

(a) I like staying at home in the summer.

(b) I hate camping.

(c) I prefer the sea, but I enjoy holidays in the mountains.

(d) I hate package holidays.

(e) I can't stand the mountains.

(f) I think the sea is wonderful.

G 17 Pronouncing the sound [ʀ]

Standard pronunciation of the [ʀ] sound is soft: it is pronounced at the back of the throat (not of the mouth) but is still clearly audible. Try not to produce a rolled 'r', even though you may hear some speakers doing this – there are many regional variations in the way the letter 'r' is pronounced.

You always need to pronounce 'r' in French. Whereas in the English word 'large', for example, the 'r' does not sound, in the French word *'large'* the 'r' is pronounced. Nonetheless, try to avoid over-emphasizing the [ʀ] sound.

Activité 9 Extrait 35

Listen to Extract 35 and repeat each of the words containing the [ʀ] sound.

Répétez chaque mot.

Activité 10 Extrait 36

je ne supporte pas…
I can't stand / bear…

il a horreur de…
he loathes…

Listen to Extract 36 and speak in the pauses. You will repeat each section of the sentence in turn. For example, *'J'aime partir…'* , then … *'à l'étranger'*, and then the whole sentence *'J'aime partir à l'étranger'.*

Exercez-vous à répéter.

Activité 11

1 Write a description of about 50 words of the type of holiday you like or dislike, and where you usually like to go or avoid going to, using the structures and vocabulary learnt in this session.

Décrivez vos vacances.

2 Note down a few key words from your written description and then put it to one side. Using the notes as prompts, record yourself saying the description. Take special care over the [ʀ] sounds.

Enregistrez-vous.

Session 3

Christine has received some postcards from various friends on holiday.

Key Learning Points

- Using reflexive verbs
- Talking about what you do on holiday
- Writing informal letters

Activité 12

1 Match each picture with one of the captions below.

Faites correspondre les images aux phrases.

(a)

(b) (c)

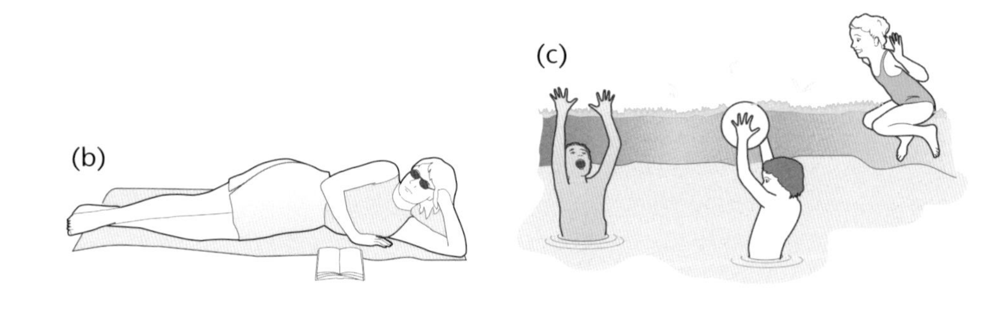

(d)

(e)

(i) En vacances, elle ne fait pas d'exercice. Elle se repose.

(ii) Pas de vaisselle, pas de courses. Quel luxe! On se détend bien ici.

(iii) Nous visitons. Nous nous promenons dans les vieilles rues pittoresques.

(iv) Il n'y a rien à faire ici. Je m'ennuie!

(v) Les enfants s'amusent beaucoup dans le lac.

2 Look at the pictures again and tick the correct translation.

Cochez la bonne traduction.

(a) elle se repose
- (i) she's playing ❑
- (ii) she's resting ❑
- (iii) she's eating ❑

(b) on se détend
- (i) we're relaxing ❑
- (ii) we're having a good time ❑
- (iii) we're fed up ❑

(c) nous nous promenons
- (i) we go for walks ❑
- (ii) we play games ❑
- (iii) we go to sleep ❑

(d) je m'ennuie
- (i) I'm drinking ❑
- (ii) I'm walking ❑
- (iii) I'm bored ❑

(e) les enfants s'amusent
- (i) the children are enjoying themselves ❑
- (ii) the children are being naughty ❑
- (iii) the children are going home ❑

3 What do you notice about all of the French verbs in step 2?

Qu'est-ce que vous remarquez?

G 18 Using reflexive verbs

Verbs used with an 'extra' pronoun (*me/te/se/nous/vous/se*) are called reflexive verbs. The pronoun is placed before the verb.

> ***Je me détends*** *toujours au bord de la mer.*
> I always relax at the seaside.

If the verb begins with a vowel, *me/te/se* change to *m'/t'/s'*.

> ***Tu t'ennuies*** *en vacances?*
> Do you get bored on holiday?

Il se régale *au restaurant.*
He's enjoying his meal at the restaurant.

Nous ne nous amusons pas *beaucoup ici.*
We aren't enjoying ourselves very much here.

The '*ne*' of '*ne ... pas*' is placed between the subject and the 'extra' pronoun.

Vous vous promenez *souvent?*
Do you often go out for a walk?

Ils ne s'occupent *pas beaucoup de leurs enfants.* They don't pay much attention to their children.

The verb endings are the same as those you have come across already.

A dictionary entry for a reflexive verb will always include the '*se*', but places the word under the first letter of the main part of the verb, e.g. *s'appeler* will be found under the letter '*a*'.

se reposer
je me repose
tu te reposes
il/elle/on se repose
nous nous reposons
vous vous reposez
ils/elles se reposent

Activité 13 Extrait 37

1 Rewrite the following by giving the appropriate forms of the reflexive verbs in brackets. Remember to change the pronoun *se* where necessary.
Complétez les phrases.

(a) Je (se reposer) __________ tout le temps.

(b) Tu (s'amuser) __________ bien?

(c) Elle (se détendre) __________ ce week-end.

(d) Nous ne (se promener) __________ pas tous les dimanches.

(e) Vous (s'ennuyer) __________ souvent?

(f) Ils ne (se régaler) __________ pas au restaurant.

2 Listen to Extract 37 and repeat the sentences during the pauses.
Répétez les phrases.

CORRESPONDANCE PRIVÉE

When writing an informal letter, you can begin as follows:

***Cher** Bernard* Dear Bernard ***Chère** Nassera* Dear Nassera

Like most adjectives, *cher* changes according to the gender and number of the person or people you are writing to:

***Chère** tante Christine* ***Chers** Sylviane et Lucas* *Mes **chers** parents*

You can end your letter as follows:

Je vous / t'embrasse (bien fort) or *Bien affectueusement* or *(Grosses) bises*
Much love / Lots of love

Amitiés Best wishes *Bien amicalement* Best wishes

Cordialement Regards *À bientôt* See you soon

Activité 14

1 Match each of the following pictures with one of the four postcards overleaf which Christine has received.

Faites correspondre l'image au message.

(b)

(a)

(d)

(c)

(i)

Salut Christine,

Quel délice! Nous suivons le circuit gastronomique de la région depuis notre arrivée. On goûte à tout, on se régale – et on ne s'ennuie jamais!
Comme promis, nous te rapportons quelques spécialités de la région.
À bientôt,

Claudette et Jean-Paul

(ii)

Chère amie

Hélas, c'est presque la fin de nos vacances! La région est idéale – et le camping est vraiment bien. Nous ne nous occupons pas beaucoup de nos enfants. Il y a une piscine et un grand terrain de jeux. Nous, on se détend beaucoup – la caravane est très confortable – et il fait un temps magnifique.

Affectueusement

Thérèse

(iii)

Chère Christine

Quel dommage, je ne suis pas venue te voir en Provence. Ici il pleut et je m'ennuie terriblement. Seule consolation : je me repose, je me régale aux restaurants et les chateaux sont magnifiques. Je rentre dans trois jours.

Bises

Véronique

(iv)

Ma chère tante,

Nous nous amusons beaucoup au bord de la mer. Je me baigne tous les jours et puis je m'amuse avec les autres enfants sur la plage – ils sont très sympas. Je pense que mes parents s'ennuient un peu! Ils se promènent beaucoup. Ce soir nous allons à la foire.

Je t'embrasse,

Paulette

2 Find the French in the postcards to match the following English expressions.

Trouvez l'expression française.

(a) It's raining here and I'm very bored.

(b) I'm having wonderful meals in the restaurants.

(c) I go for a swim every day.

(d) I think my parents are bored.

(e) They go for lots of walks.

(f) We're not paying much attention to our children.

(g) We're relaxing a lot.

(h) We don't ever get bored.

3 Give the infinitive of each of the verbs in the table below. (Use your dictionary if necessary).

Trouvez l'infinitif.

	Infinitif		**Infinitif**
je m'ennuie		je me baigne	
je me repose		ils se promènent	
je me régale		on se détend	
nous nous amusons		on ne s'ennuie jamais	

USING A GRAMMAR BOOK OR A DICTIONARY TO CHECK VERB FORMS

S'ennuyer and *se promener* are both '*-er*' verbs, but their forms are slightly different from the ones you have met so far. A slight spelling change occurs in certain forms:

*je m'ennui**e***	*nous nous ennuyons*	*ils s'ennui**ent***
*je me prom**è**ne*	*nous nous promenons*	*ils se prom**è**nent*

When you come across a new verb, you should always check how it conjugates in a grammar book or a dictionary, where the verb tables will explain any spelling changes which occur.

Activité 15

1 You are talking to a friend on the phone telling her/him what you are doing on holiday. Record what you say, using as many as possible of the reflexive verbs you have just learned. Your message should last about 45 seconds and include the following information.

Enregistrez un court message à votre ami(e).

- Where you are.
- What you are doing each day and in the evenings.
- What your companions are doing (choose something different).
- What the weather is like.
- What you think of the local food.

2 Write a postcard of about 100 words telling your relations about the same holiday.

Écrivez une carte postale à votre famille.

Session 4

The following evening, Christine and you meet Jacques and Pierrette for a drink. They talk about the places they have visited and about their previous holidays.

Key Learning Points

- Understanding and using *déjà / pas encore*
- Using reflexive verbs in the *passé composé*

Activité 16 **Extrait 38**

1 Listen to Extract 38 and tick the places which Jacques and Pierrette have already visited in and around Avignon.

Cochez les endroits déjà visités.

(a) Le Pont St Bénezet ❑

(b) Le musée du Petit Palais ❑

(c) Le Palais des Papes ❑

(d) Villeneuve-lès-Avignon ❑

(e) La Tour Philippe le Bel ❑

(f) Arles ❑

(g) Les arènes d'Arles ❑

2 Listen again. How does Christine ask them whether they have already been to Villeneuve-lès-Avignon?

Quelle est la question posée par Christine?

3 Look at the transcript and find the French for the following sentences.

Trouvez la traduction dans les transcriptions.

(a) We already visited the palace a year ago.
(b) We went to Villeneuve last September.
(c) We haven't visited the amphitheatre yet.
(d) We haven't yet decided.

G 19 Understanding and using 'déjà' / 'pas encore'

You have already learned the time expression *il y a,* meaning 'ago' (in Unit 7 G14):

> ***Il y a*** *un an.* A year **ago**.

Here are two more useful expressions of time, which you heard in Extract 38:

- *'déjà + passé composé'* is used to express something you have already done:

  *Nous avons **déjà** visité le Palais.*
  We have **already** visited the Palace.

  *Qu'est-ce que tu as **déjà** vu à Avignon?*
  What have you **already** seen in Avignon?

  *Vous êtes **déjà** allés à Villeneuve?*
  Have you been to Villeneuve **yet**?

- *'ne + pas encore'* is used to express something you have not yet done:

  *Nous **n'**avons **pas encore** visité la Tour.*
  We have**n't** been to the Tower **yet**.

  *Nous **ne** sommes **pas encore** allés visiter la Chartreuse.*
  We have**n't** visited the Chartreuse **yet**.

  *Nous **n'**avons **pas encore** décidé.*
  We haven't decided yet.

Note the position of *pas encore* between *avoir / être* and the past participle.

Activité 17

Write complete sentences from the following notes, about whether the person mentioned has already (✓) or not yet (×) seen or visited a particular place. Make sure you use the correct pronoun (*il, elle* or *ils*) and correct form of the *passé composé.*

Écrivez la bonne reponse.

Exemple

Guillaume: Avignon / ✓ / aller

Il est déjà allé à Avignon.

(a) **Fatima**: Avignon / ✓ / aller

(b) **Guillaume**: Le Pont St. Bénezet / ✓ / voir

(c) **Fatima et Guillaume**: le musée du Petit Palais / × / visiter

(d) **Guillaume**: Villeneuve-lès-Avignon / ✓ / aller

(e) **Fatima et Guillaume**: le Palais des Papes / × / visiter

(f) **Fatima**: la Tour Philippe le Bel / × / voir

Activité 18

Translate the following extract of an e-mail into English, paying particular attention to expressions of time.

Traduisez le courriel.

la région environnante *the surrounding region*

un circuit (here) *a tour*

> ... Ils sont arrivés à Avignon il y a deux semaines. Ils sont déjà venus il y a un an, mais ils n'ont pas encore visité la région environnante. Cette fois c'est plus facile parce qu'ils ont leur voiture. Ils ont fait un circuit en Provence pendant trois jours. ...

Activité 19 Extrait 39

la côte basque *the Basque coast*

le Pays basque *the Basque Country*

(les) Antilles *the West Indies*

on a bronzé *we sunbathed*

la pyramide du Louvre = *the pyramid-shaped entrance to the Louvre museum in Paris*

1 Listen to Extract 39 and say what the three people are talking about.

   De quoi parlent-ils?

2 Listen again to what Jean-Claude says and note down the infinitive of every verb you recognise.

   Notez l'infinitif de tous les verbes.

   Exemple

   You hear: vous avez choisi

   You write: choisir

3 Which verb is used with the reflexive verbs in the *passé composé*: *avoir* or *être*?

   Quel est le verbe utilisé?

G 20 Using reflexive verbs in the *passé composé*

In Unit 6, Session 4, you learned how certain verbs are conjugated with *être* in the *passé composé.* All reflexive verbs are conjugated with *être* in the *passé composé.*

Je me suis *bien* ***reposé(e)*** *en vacances.*
I had a good rest on holiday.

Tu t'es régalé(e) *au restaurant?*
Did you enjoy the meal in the restaurant?

Il s'est amusé / Elle s'est amusée *sur la plage.*
He/she enjoyed himself/herself on the beach.

On s'est baignés *dans la mer chaude.*
We went swimming in the warm sea.

Nous nous sommes *beaucoup* ***reposés*** *à l'hôtel.*
We rested a lot in the hotel.

Vous vous êtes promenés *dans Paris?*
Did you walk about in Paris?

Ils se sont baignés / Elles se sont baignées *dans le lac.*
They went swimming in the lake.

Note that the past participle agrees with the number and gender of the subject, like all verbs which use *être* to form the *passé composé*:

Elles *se sont baign**ées**.*

When *on* has the sense of 'we', it takes the plural ending, as in the example above.

Activité 20

Complete the following postcards by using the correct form of the verbs in brackets. Remember to use the *passé composé*.

Complétez les cartes postales.

(a)

Les vacances sont presque terminées. Nous ________ (se reposer) cette année. Il ________ (faire) très beau, donc nous ________ (faire) du tennis. Nous ________ (se promener) un peu dans la région basque et nous ________ (manger) beaucoup de spécialités régionales.

(b)

Cette année, nous ________ (aller) à Paris. Nous ________ (se promener) beaucoup et nous ________ (visiter) beaucoup de musées. Les enfants ________ (s'ennuyer) un peu mais en général ils ________ (s'amuser). Souvent nous ________ (manger) dans le quartier chinois - nous ________ (se régaler).

Session 5

(il) grignote
he nibbles

(ils) encadrent
they take in hand

In this session, you will revise pronouncing the [ʀ] sound, using *y* with the present tense, expressing distances and dimensions, using reflexive verbs in the present and *passé composé,* and describing holidays.

Activité 21 Extrait 40

1 Listen to Extract 40 and repeat the phrases in the pauses, paying particular attention to the pronunciation of the letter 'r'.

Écoutez et répétez.

2 Listen to the extract again. In the final phase see how fast you can say the whole tongue-twister!

Écoutez et répétez.

Activité 22 Extrait 41

1 Listen to Extract 41 and complete the phrases below.

Complétez les phrases.

(a) Les distances et les dimensions:

(i) Les remparts font __________ de __________.

(ii) Le Rhône fait __________ de __________.

(iii) Le Mont Ventoux fait __________ de __________.

(iv) C'est à __________ de voiture.

(v) C'est à __________ de kilomètres.

(b) Les descriptions:

(vi) Il y a un __________ du sommet.

(vii) On peut monter __________.

(viii) Le Rhône est __________ superbe.

(ix) Il y a __________ sur le Rhône.

2 Write a description of about 80 words (using the *passé composé*) of what you did and saw in and around Avignon, based on what you heard in Extract 41 and following the guidelines below. Give your opinion of the places and activities.

Décrivez Avignon.

- se promener – remparts
- croisière – Rhône
- monter – Mont Ventoux
- panorama – sommet
- se régaler – spécialités régionales

Activité 23

1 Complete the following postcard from Benjamin and Aurélie using the correct forms of the verbs in the box below.

Complétez la carte postale.

> Fougères ________ à une soixantaine de kilomètres de la mer. Hier nous sommes allés à Saint-Malo; nous ________ le long des remparts, et à midi, nous avons mangé des crêpes. On ________ !
>
> Ensuite, pendant l'après-midi, on ________ sur la plage, et on ________ dans la mer. Je pense que Benjamin ________ un peu, mais le soir il ________ avec ses amis.

s'amuser • se détendre • s'ennuyer • se promener • se régaler • se trouver • se baigner

2 Write an entry of about 60–70 words for your diary describing a trip to le Mont Dore, using the words and phrases provided below as guidelines. Pay attention to verb forms and to expressing distance.

Rédigez une page de votre agenda.

- le Mont Dore: Clermont-Ferrand (environ 50 km)
- visiter le château de Boussac – 30 km – panorama superbe – prendre des photos
- se détendre – se promener dans les collines
- trouver petit village avec restaurant – se régaler
- rentrer et se reposer

Activité 24 **Extrait 42**

Listen to Extract 42, in which Christine is asking you about holidays. Answer her questions following the prompts.

Répondez aux questions de Christine.

Activité 25

Write a postcard or letter of 60–70 words to a friend from wherever you are on holiday. Express your opinions about why you are enjoying it or not.

Décrivez vos vacances dans une lettre à un(e) ami(e).

FAITES LE BILAN

Now that you have finished the first five sessions of the unit, you should be able to:

- Talk about distances and dimensions ❑
- Describe various types of holidays ❑
- Talk about what you do on holiday ❑
- Use *y* meaning there ❑
- Use reflexive verbs in the present tense ❑
- Use reflexive verbs in the *passé composé* ❑
- Pronounce the sound [ʀ] ❑

Tick each box when you think you can do each point. If you are not sure about something, go back and revise it in the appropriate session.

Session 6

You continue your conversation with Jacques and Pierrette. Christine asks them about their jobs.

Key Learning Points

- Talking about work
- Using *depuis* with the present tense

Activité 26 Extrait 43

mon cabinet (dentaire) privé
my own (dental) practice

1 Listen to Extract 43 and note down in the table what work Pierrette and Jacques do now, and what they did before. Include information about their workplace.

Remplissez le tableau.

	Avant	**Maintenant**
Jacques		
Pierrette		

2 What words does Pierrette use to say that she worked as an accountant for two years?

Écrivez les mots de Pierrette.

3 Listen again and tick the correct option.

Cochez la bonne réponse.

(a) Jacques a son cabinet privé:
- (i) depuis six ans. ❑
- (ii) depuis trois ans. ❑
- (iii) depuis cinq ans. ❑

(b) Jacques et Pierrette sont mariés:
- (i) depuis sept ans. ❑
- (ii) depuis quatre ans. ❑
- (iii) depuis deux ans. ❑

(c) Pierrette travaille dans une société de transport:
- (i) depuis cinq ans. ❑
- (ii) depuis trois ans. ❑
- (iii) depuis deux ans. ❑

4 (a) Read the transcript of Extract 43 and underline the verb forms.

(b) What happens to the verb tense when you use:
(i) *depuis* and (ii) *pendant*?

Lisez la transcription et soulignez les formes verbales. Que remarquez-vous?

G 21 Using 'depuis' with the present tense

Depuis is used with the present tense to refer to something that started in the past and is continuing in the present. It can be translated into English by 'for' when it relates to duration:

Je suis dentiste ***depuis*** *cinq ans.*
I've been a dentist for five years.

Elle travaille dans une société de transport ***depuis*** *trois ans.* She's been working for a haulage company for three years.

*Nous sommes mariés **depuis** sept ans.*
We've been married for seven years.

and by 'since' when it refers to a precise date:

*Ils sont mariés **depuis** 2004.*
They've been married since 2004.

*Il est prothésiste dentaire **depuis** 1995.*
He's been a dental technician since 1995.

As you saw in Unit 7 Session 9, *pendant* is used with the *passé composé* to refer to something that is not ongoing at the time of speaking:

*J'ai travaillé comme facteur **pendant** quinze ans.*
I worked as a postman for fifteen years.

Activité 27 Extrait 44

avant de travailler
before working

Listen to Extract 44 and summarize the interviewee's career in about 20 words, using *depuis* and *pendant.*

Faites un petit résumé.

Activité 28

Complete the following table by giving the French or English equivalent of each sentence.

Complétez le tableau en traduisant les phrases.

la restauration
the catering business / catering

Français	English
J'ai mon cabinet privé depuis cinq ans.	I've had my own practice for five years.
(a)	We've been married for seven years.
J'ai travaillé pendant deux ans au service comptable.	(b)
(c)	I've been a PA for three years.
Je suis dans la restauration depuis dix ans.	(d)
(e)	I worked as a baker for three years.
Il a travaillé chez Renault pendant quinze ans.	(f)
Elle s'occupe du marketing depuis quatre à cinq mois.	(g)

Activité 29 Extrait 45

1 You are a chef being interviewed about your career. Listen to Extract 45 and answer the questions following the prompts.

Répondez aux questions.

2 Write roughly 80 words about your own career (or that of someone you know), saying what you used to do and what you do now. Use *depuis* and *pendant* wherever possible. You may wish to use expressions such as: *je suis... , je travaille dans / chez... , j'occupe un poste de... , je fais... , je m'occupe de....*

Décrivez votre parcours professionnel.

parcours professionel
career path

In this session you will be listening to various people talking about their studies and their qualifications.

Key Learning Points

- Talking about qualifications
- Using words and phrases relating to the French education system

Activité 30 Extrait 46

CNRS
Centre National de la Recherche Scientifique

la photogrammétrie
photogrammetry (= use of photographs to take measurements)

j'ai obtenu
I received / passed

1 Listen to Extract 46 and write down what job Pierre has.

Pierre, qu'est-ce qu'il fait dans la vie?

2 Listen again and read the CV information in the box. Tick the correct information and correct any that is wrong.

Corrigez la fiche de profil professionnel.

Métier: chercheur au CNRS

Formation:

Bac scientifique

Maitrise d'informatique

Doctorat en photographie

Langues: allemand italien

LES ÉTUDES EN FRANCE

Secondary education in France is compulsory until the age of 16, and 80% of children continue their schooling. At 15, students take the ***brevet***, which either gives them access to a lycée and three years of study leading to the ***baccalauréat*** (***le bac***) or allows them to follow vocational courses, such as studying for the ***Brevet d'Enseignement Professionel*** (BEP) or ***Certificat d'Aptitude Professionnelle*** (CAP), and if successful, a more vocationally-oriented bac.

The ***baccalauréat*** gives access to higher education studies either at a university, or an ***institut*** (which offers general and vocational degree courses) or one of the ***grandes écoles*** such as l'ENA, the civil service college. Entrance to the latter, which are the most prestigious of higher education establishments, is through competitive exams which students prepare for two years via the ***classes prépa***.

Here are some useful abbreviations:

BTS: Brevet de technicien supérieur (vocational training certificate)

*DUT: Diplôme Universitaire de Technologie (*requires two years of study after the baccalauréat, shown in the diagram below as '+ 2 ans')

IUP: Institut Universitaire Professionnel (equivalent to a polytechnic)

CROUS: Centre Régional des Œuvres Universitaires et Scolaires (students' welfare office)

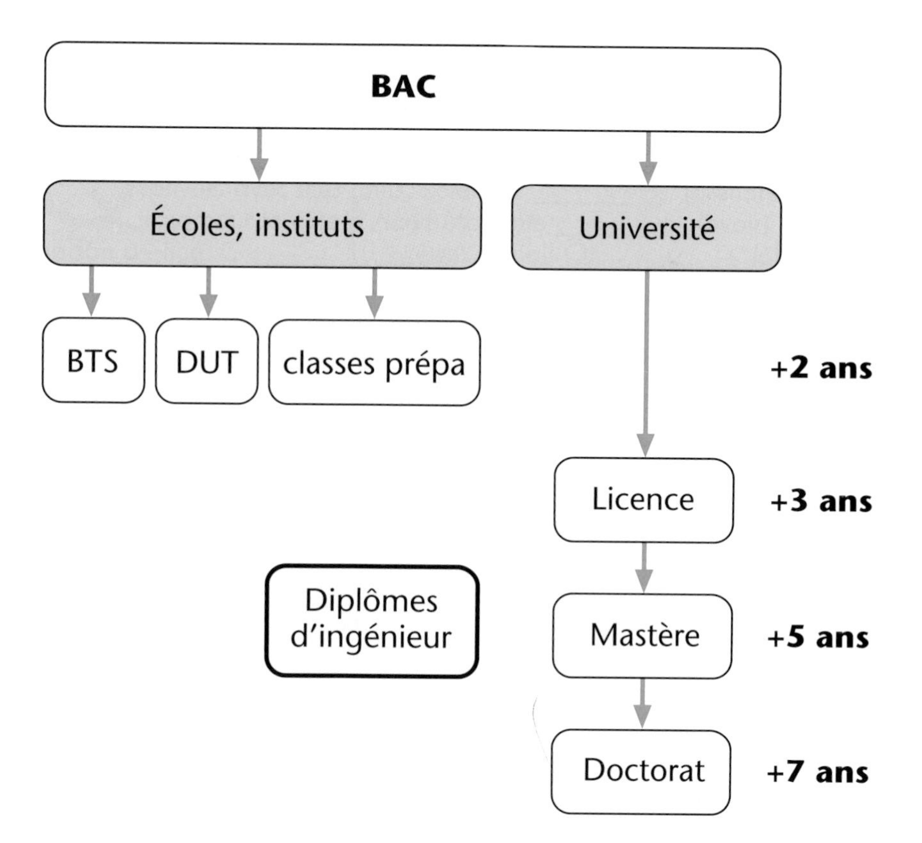

Activité 31 Extrait 47 et 48

métier (m.)
job
formation (f.)
training
avocat (m.)
lawyer

1 What qualifications do these two people interviewed have? Listen to Extracts 47 and 48, and complete the CV details below.

Complétez les profils professionnels.

Extract 47
Métier:
Formation:
Langues:

Extract 48
Métier: Hôtesse au sol
Formation:
Langues:

2 Read through the transcripts of Extracts 46, 47 and 48, and note down any expressions relating to qualifications within the French education system.

Lisez les transcriptions des extraits 46, 47 et 48 et notez les expressions.

G 22 Using words and phrases relating to education

Here are some phrases for talking about university studies:

Je suis à l'université. I'm at university. (People often say *Je suis à la fac.*)

J'ai suivi un cours de français.
I've taken a French course / a course in French.

Je suis des cours à l'université.
I'm taking a course at university.

Je fais des études de droit. I'm studying law.

J'ai décidé de reprendre des études.
I've decided to take up studying again.

Je suis allé(e) à l'université. I went to university.

For talking about exams:

Je passe un examen. I'm sitting an exam.

J'ai réussi à l'examen / au bac.
I passed the exam / the baccalaureate.

For talking about qualifications:

J'ai le bac / un diplôme.
I have the baccalaureate / a diploma.

J'ai obtenu un diplôme d'ingénieur l'année dernière.
I got my engineering diploma last year.

J'ai une licence / un mastère.
I have a degree / a master's degree.

Je fais une formation.
I'm doing some training. / I'm on a training course.

Activité 32 Extrait 49

1 Listen to Extract 49 once or twice and complete Magali's CV details.
Complétez le tableau.

	Lieu de formation	Qualifications	Vie professionnelle
1992	Lycée		
1996			
1996–1998			
1998–2001			
2002–aujourd'hui			

2 Listen to Extract 49 again and complete the following sentences. Check the spelling of the verbs.
Complétez les phrases suivantes.

(a) Oui, j'ai __________ le bac en 1992.

(b) Ensuite, je suis __________ à l'université.

(c) J'ai __________ ma licence d'anglais en 1996.

(d) Et puis, j'ai décidé de __________ mes études.

(e) J'ai __________ un diplôme de réalisateur multimédia.

Activité 33

Using the information below, write 90–100 words about Jacques' studies and qualifications. Use as many of the phrases from G22 as possible and include time indicators such as *d'abord, puis, ensuite, après, enfin...*
Écrivez un profil professionnel.

Nom: **TESSIER, Jacques**
17 ans: Bac
17–18 ans: travaille dans une agence de voyage
18–21 ans: université
21 ans: Licence histoire de l'art
6 mois: cherche un emploi
22–25 ans: travaille dans un musée
26–27 ans: mastère 'Vie culturelle'
Aujourd'hui, à 27 ans: travaille au service culturel de la région

Activité 34

1. Make a few notes (approximately 20 words) about your own studies and your working life, or that of someone you know.

   Écrivez quelques notes sur votre vie professionnelle.

2. Record yourself talking about your career, or someone else's, using full sentences based on your notes. The recording should last about thirty seconds.

   Enregistrez-vous.

Session 8

Christine is talking to Jacques and Pierrette about her parents and the work they used to do.

Key Learning Points

- Using the imperfect tense
- Comparing the past with the present

Activité 35

1. Read the sentences below about Jean and underline the verbs which describe what he does nowadays. Then do the same for Malika.

   Lisez les informations et soulignez les verbes.

Jean

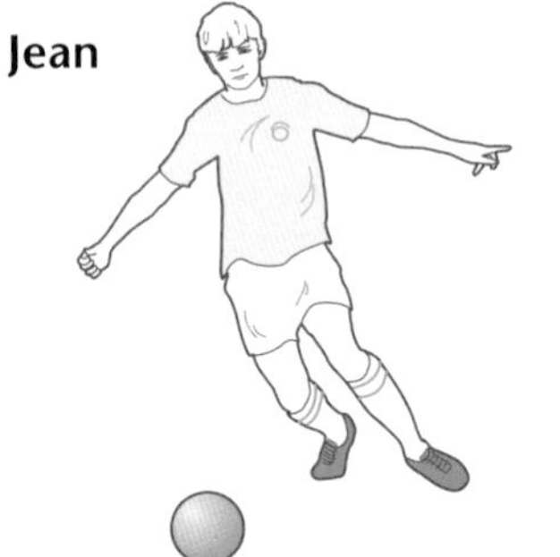

Quand j'avais quinze ans, je jouais au foot.

J'étais très sportif.

Je faisais aussi du tennis.

J'allais au cinéma tous les dimanches.

Je collectionnais les timbres.

Je partais en auto-stop avec mes amis.

Je fumais des cigarettes en cachette.

J'avais des cheveux longs.

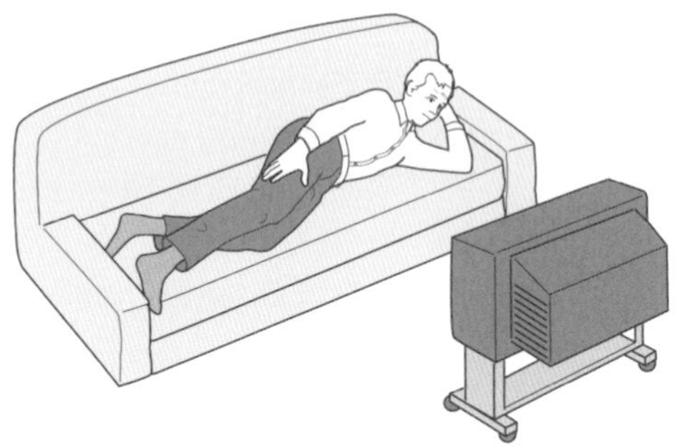

Maintenant, à quarante-cinq ans, je regarde le sport à la télé.

Je dors souvent.

Je suis fatigué.

Je travaille trop.

Je n'ai pas de temps.

Je voyage en train.

Je ne fume plus.

Je perds mes cheveux.

partir en auto-stop *to go hitchhiking*

en cachette *on the sly, secretly*

Malika

Quand j'étais adolescente, je n'avais pas beaucoup d'amis.

J'étais timide.

J'étais ronde.

Je ne sortais jamais.

Je ne travaillais pas bien à l'école.

Je mangeais trop de chocolat.

Maintenant, à trente-cinq ans, je dirige une entreprise de quinze personnes.

J'ai confiance.

Je suis mince.

Je sors souvent avec mes amis.

Je fais beaucoup de sport.

Je suis au régime.

2 Write out below the verbs used by Jean and Malika to describe what they were like or used to do as teenagers. The first has been done for you.

Écrivez les verbes.

	Avant
Jean	*je jouais, …*
Malika	…

3 What do you notice about the endings of the verbs in step 2 above?

Qu'est-ce que vous remarquez?

G 23 Using the imperfect tense

To talk about what they used to do regularly in the past, Jean and Malika use the imperfect tense.

Je **jouais** au foot. *I played (used to play) football.*

Je **faisais** du tennis. *I played tennis.*

Je **mangeais** trop de chocolat.
I ate (used to eat) too much chocolate.

Jean and Malika also use the imperfect tense to describe a situation in the past.

Quand j'**avais** quinze ans, j'**était** sportif.
When I was fifteen I was sporty.

How is the imperfect tense usually formed?

To form the imperfect tense, take the ***nous*** form of the verb in the present, e.g.:

faire → *nous* ***faisons*** *du tennis*

Remove the **-ons** ending:

nous faisons

Then add the endings *-ais* / *-ais* / *-ait* / *-ions* / *-iez* / *-aient,* as appropriate.

There are some exceptions. For example:

il pleut becomes *il* ***pleuvait***

il neige becomes *il* ***neigeait***

je suis becomes ***j'étais*** (See table alongside.)

faire
je faisais
tu faisais
il/elle/on faisait
nous faisions
vous faisiez
ils/elles faisaient

être
j'étais
tu étais
il était
nous étions
vous étiez
ils/elles étaient

Activité 36

Look at the information below about François. In about 100 words, write a paragraph about his life when he was 25 and another paragraph about his life now. Use the *il* form of the imperfect and present tenses, *quand* (at least once) and, where appropriate, adverbs such as *quelquefois, toujours, ne … jamais*, etc.

Décrivez la vie de François.

François	
À l'âge de 25 ans	**Maintenant**
marié	divorcé
au chômage	sportif
sportif	piscine
aimer faire des randonnées	aller voir ses enfants
faire du vélo	chauffeur de bus (temps partiel)
aller voir ses parents à la campagne	veut changer de métier
n'aime pas prendre le bus	cours d'anglais

être au chômage
to be unemployed

Activité 37 Extrait 50

ils sont à la retraite
they're retired

1 Listen to Extract 50, in which Christine is talking to Jacques and Pierrette about her parents, and complete the following sentences.

Complétez les phrases suivantes.

(a) Mon père __________ comme électricien dans une usine.

(b) Il n'__________ pas trop l'école et pourtant… il a épousé une institutrice!

(c) Votre mère __________ institutrice?

(d) Elle __________ rester à la maison.

(e) Elle __________ raison.

(f) Elle __________ son travail.

(g) Quand elle __________ petite, elle __________ déjà être institutrice.

2 Write approximately 70 words about something you (or someone you know) used to do when you were younger. Remember to use the imperfect tense.

Racontez une activité que vous faisiez.

Activité 38 Extrait 51

1 Look at the table in step 2 below and check that you know all the words to do with professions or vocations. If not, look them up in your dictionary.

Cherchez les mots.

changer d'avis
to change (one's) opinion

être douée pour la danse
to have a gift for / be talented at dancing

la vitesse
speed

2 Listen to Extract 51, in which four people are explaining what they wanted to be when they grew up, and tick the relevant boxes of the table.

Cochez les cases du tableau.

Elle/il voulait être	Agnès	Philippe	Francis	Élisabeth
pilote de Formule 1				
spéléologue				
infirmière				
danseuse				
institutrice				
vétérinaire				
prêtre				
princesse				

3 Listen to Extract 51 again. Give each person's explanation as to why they did not realise their childhood dreams.

Expliquez les changements.

Exemple *(not in the audio extract)*

Il n'est pas devenu comptable...
parce qu'il n'était pas bon en mathématiques.

Agnès	Elle n'est pas devenue danseuse...
Philippe	
Francis	
Élisabeth	

Activite 39 Extrait 52

Look at Activité 37 again to familiarise yourself with Malika's character. Then listen to Extract 52 and answer the questions, following the prompts. You will need to use the imperfect tense at times.

Relisez l'Activité 37. Écoutez et parlez dans les pauses.

Session 9

This session deals with job interviews and job applications.

Key Learning Points

- Agreeing and disagreeing
- Writing formal letters
- Talking about daily routines

Activité 40 Extrait 53

1 Look at the recruitment advertisements in step 2 below and find out the meaning of any words you don't know.

Cherchez les mots.

les vendanges (f.pl.) *the grape harvest*
ferme (f.) *farm*
dehors *outside*
l'hôtellerie (f.) *the hotel business*
le ménage *housework*
utile *useful*

2 Listen to Extract 53 and match each dialogue (1–3) with one of the following advertisements (a) – (c).

Associez les annonces aux dialogues.

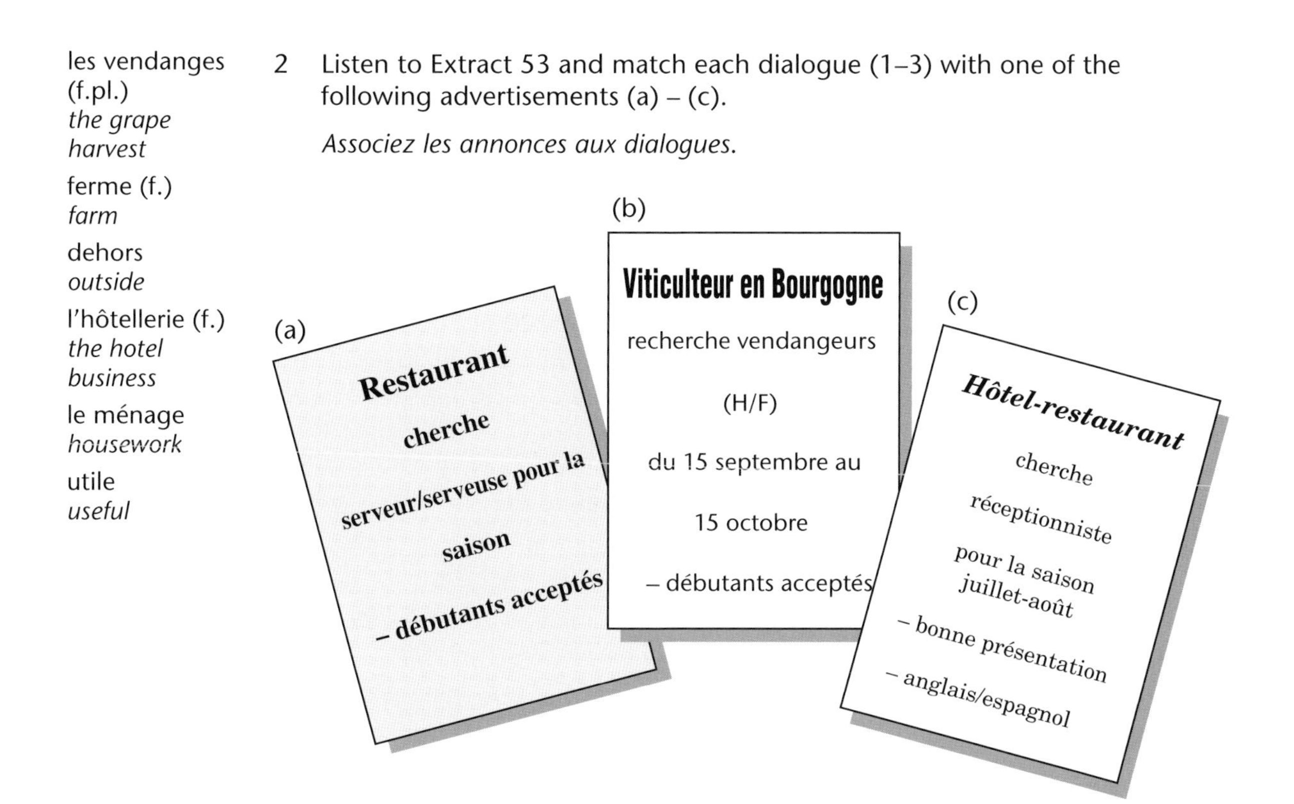

(a)
Restaurant
cherche
serveur/serveuse pour la
saison
– débutants acceptés
(b)
Viticulteur en Bourgogne
recherche vendangeurs
(H/F)
du 15 septembre au
15 octobre
– débutants acceptés
(c)
Hôtel-restaurant
cherche
réceptionniste
pour la saison
juillet-août
– bonne présentation
– anglais/espagnol

3 Listen to Extract 53 again and complete each sentence by ticking the correct information.

Choisissez la bonne réponse.

Dialogue 1

(a) À 16 ans, il:
- (i) aidait son grand-père à la ferme.
- (ii) aidait sa grand-mère à la cuisine.
- (iii) réparait les tracteurs.

(b) Il n'a pas l'air très sportif, mais:
- (i) il est très grand.
- (ii) il adore être dehors.
- (iii) il parle plusieurs langues.

Dialogue 2

(c) Quand elle était plus jeune, elle:
- (i) travaillait en Espagne.
- (ii) travaillait dans un hôtel.
- (iii) travaillait dans une auberge de jeunesse.

(d) Elle parlait espagnol quand:

(i) elle allait à l'école.

(ii) elle allait en vacances en Espagne.

(iii) elle allait à l'auberge de jeunesse.

Dialogue 3

(e) Maintenant, il:

(i) fait des études de mathematiques à l'université.

(ii) passe un diplôme d'ingénieur à l'IUP.

(iii) fait des études scientifiques à l'université.

(f) Pour faire des études, il a besoin de:

(i) travailler toute l'année.

(ii) travailler l'été.

(iii) travailler l'hiver.

4 Read the transcript of Extract 53 and underline any expressions which show agreement or disagreement.

Lisez les transcriptions et soulignez les expressions qui expriment l'accord et l'opposition.

G 24 Agreeing and disagreeing

In Extract 53, each interviewee used different ways of disagreeing or offering an opinion. Here are the phrases they used:

> ***Vous avez raison mais** j'adore être dehors.*
>
> ***C'est vrai… mais** quand j'allais en vacances en Espagne, je n'avais pas de problème.*
>
> *Oui, **je suis d'accord avec vous, par contre** je sais travailler vite.*

To agree with someone, you can say:

> *Oui, vous avez raison.* Yes, you're right.
>
> *C'est vrai.* That's true.
>
> *Je suis d'accord avec vous.* I agree with you.

To disagree or offer a different opinion, you can say:

> *mais…* but…
>
> *par contre…* but on the other hand…

Activité 41

1 The following five mini-dialogues have been jumbled up. Match each criticism (*Critique*) with the appropriate response (*Argument*).

Associez les arguments aux critiques correspondantes.

Critiques	Arguments
(a) Vous ne parlez pas allemand?	(i) Oui, je suis d'accord avec vous mais je m'occupais de mes deux sœurs et de mon frère quand ils étaient petits.
(b) Vous n'avez jamais travaillé dans un restaurant?	(ii) C'est vrai, par contre je fais beaucoup de randonnées à pied et je fais du ski de fond en compétition.
(c) Vous n'avez pas encore 18 ans.	(iii) Oui, c'est vrai, mais je parle anglais et espagnol.
(d) Vous n'avez pas une grande expérience des enfants.	(iv) Vous avez raison, mais je vais être majeur à la fin du mois de juin.
(e) Vous n'avez pas l'air très résistant, physiquement.	(v) C'est vrai, mais j'ai travaillé dans un café et dans une auberge de jeunesse.

2 Following the pattern in step 1, make up your own responses to the following criticisms. Use as many of the phrases in G24 as possible.

Trouvez les arguments.

(a) **Critique**: Vous n'avez jamais travaillé dans la restauration.

Argument: ____________________.

(b) **Critique**: Vous n'avez jamais été moniteur sportif.

Argument: ____________________.

(c) **Critique**: Vous n'avez pas trop d'expérience dans la vente.

Argument: ____________________.

(d) **Critique**: Vous ne parlez pas espagnol.

Argument: ____________________.

(e) **Critique**: D'après votre CV, vous n'avez jamais travaillé de nuit.

Argument: ____________________.

d'après
according to

Activité 42

1 Test your understanding by reading the following sections taken from a supporting letter for a job application and arranging them in the correct order.

Remettez dans l'ordre les paragraphes de cette lettre de motivation.

j'ai pris connaissance de l'annonce que vous avez passée dans... *I read your advertisement in...*

(a) J'ai pris connaissance de l'annonce que vous avez passée dans l'Est *Républicain* pour un poste de serveur en salle. J'ai l'honneur de poser ma candidature pour ce poste pour l'été prochain.

(b) Je travaillais tard le soir et j'ai appris l'anglais sur le terrain. L'année dernière, j'ai fait les vendanges en Alsace et en Bourgogne. Ma connaissance du vin et mon endurance physique vont vous convaincre de l'intérêt de ma candidature. Je me tiens à votre disposition pour un rendez-vous à votre convenance.

(c) Veuillez agréer, Madame, Monsieur, l'expression de mes sincères salutations.

(d) Madame, Monsieur,

(e) J'ai obtenu une licence de géographie et je viens de passer mon diplôme d'œnologie à l'IUT des Métiers du vin à Dijon. Je suis à la recherche d'un travail dans le milieu de la restauration. Je connais bien ce milieu parce que j'ai été serveur et barman à Londres.

2 Re-read the three main sections of the letter – (a), (b) and (e) – and explain very briefly in English what the applicant is saying in each.

Décrivez les objectifs des trois parties de la lettre.

CORRESPONDANCE FORMELLE

Standard formal openings:

Madame, Monsieur (when you do not know the person you are addressing).

Cher Monsieur / Chère Madame (when you know them; it is impolite to include the name, however).

Monsieur le Directeur / Madame la Présidente / Monsieur le Maire (when you know the person's official title).

Useful phrases for the body of the letter:

J'ai l'honneur de poser ma candidature pour le poste de...
I am writing to apply for the post of...

J'ai obtenu une licence de… et j'ai occupé un poste de… dans l'entreprise…
I gained a degree in… and have held the position of… in the firm of…

Pourriez-vous m'adresser les documents nécessaires?
Would you please send me the necessary documents/information?

Formal letter closures (= Yours faithfully):

Veuillez agréer, Madame, Monsieur, l'expression de mes sentiments respectueux.

Je vous prie de croire, Madame la Présidente, à l'expression de ma considération distinguée.

tôt
early

jusqu'à
until

cela m'arrive
that happens

quel que soit le temps
whatever the weather

Activité 43 Extrait 54

1 Listen to Extract 54 and complete the table below.

Complétez le tableau.

	À quelle heure quitte-t-il la maison?	Comment va-t-il au travail?	Est-ce qu'il rentre à la maison à midi?	Est-ce qu'il travaille le week-end?
Jean-Claude				
Philippe				
Francis				

2 Listen to the extract again and concentrate on how the interviewees describe their daily routine. Then make a few notes about your own routine or that of someone you know. Make sure you include the following points.

Qu'est-ce que vous faites habituellement dans la journée? Prenez des notes.

- When you leave for work.
- How you travel to work.
- What you do for lunch (when and where?).
- What you do at the weekend.

3 Record yourself, using your notes.

Enregistrez-vous.

Make sure you use the expressions you have met so far, such as:
en général, toujours, parfois, de temps en temps, jamais, normalement, rarement, tous les jours…

Session 10

In this session, you will revise using *depuis* and *pendant*, the present, *passé composé* and imperfect tenses, and talking about qualifications and work.

Activité 44

1 Look at the verbs in step 2 and note down which tense each verb is in.

Quel est le temps des verbes?

2 Complete each sentence with *depuis* or *pendant*.

Complétez les phrases suivantes

(a) Je suis mariée __________ cinq ans.

(b) Jean-Paul a été animateur __________ dix ans.

(c) Nous habitons cette maison __________ toujours.

(d) Elles parlent entre elles __________ le début du cours.

(e) Vous avez enseigné l'espagnol __________ combien de temps?

3 Complete the following sentences using either the present tense or the *passé composé* of the verb in brackets.

Complétez les phrases suivantes.

(a) Pascal __________ (être) au chômage depuis deux ans.

(b) Nous __________ (aller) à l'université pendant trois ans avant d'avoir notre licence de chimie.

(c) Marie __________ (avoir) son bac depuis six mois.

(d) Vous __________ (aller) en vacances dans les Landes depuis longtemps?

(e) Il __________ (faire) de la compétition pendant huit ans et maintenant il __________ (être) entraîneur.

Activité 45 Extrait 55

coiffure (f.) hairdressing
coiffeur (m.) hairdresser
des petits boulots *casual work*
serveur (m.) *waiter*

1 Listen to Extract 55 and tick the correct answers.

Cochez les bonne réponses.

(a) Guillaume a commencé à travailler:

(i) à 14 ans. ❑

(ii) à 16 ans. ❑

(iii) à 18 ans. ❑

(b) Son premier métier, c'était:

(i) professeur de tennis. ❑

(ii) plongeur. ❑

(iii) coiffeur. ❑

(c) Quel est son diplôme supérieur?

(i) un mastère scientifique ❑

(ii) une licence en sciences sociales ❑

(iii) le bac ❑

(d) Il est allé à l'université:

(i) pendant trois ans. ❑

(ii) pendant cinq ans. ❑

(iii) pendant quatre ans. ❑

(e) Donnez un exemple des petits boulots qu'il a faits.

(i) animateur ❑

(ii) serveur ❑

(iii) vendangeur ❑

(f) Combien de temps a-t-il travaillé dans le restaurant?

(i) seize mois ❑

(ii) dix mois ❑

(iii) six mois ❑

(g) Combien de temps est-il resté au chômage?

(i) un an ❑

(ii) six mois ❑

(iii) deux mois ❑

(h) Quel poste occupe-t-il actuellement?

(i) animateur ❑

(ii) directeur-adjoint ❑

(iii) directeur ❑

2 Listen to Extract 55 again and complete the following CV details.

Complétez le CV.

Poste actuel	
Formation	
1993	BEP coiffure
1998	
2002	
Expérience professionnelle	
1993–1997	
1998–2002	
2003–2004	

Activité 46

Using the information in the chart about Isabelle's life, complete her short biography below. Use *depuis* or *pendant* and put the verbs in the present or *passé composé.*

Complétez la biographie d'Isabelle.

1975 1985 1993 1997 1998 1999 2000 2001 2002 2003 2004 2005 20

Naissance
Passe le bac
Mastère d'informatique
Mariage
Naissance de sa fille
Aujourd'hui

Université
Responsable réseau à la mairie
Chômage
Ingénieur chez Alstrom

Monter à cheval

Isabelle __________ (naître) en 1975. Elle __________ (monter) à cheval __________ l'âge de dix ans. Elle __________ (passer) son bac en 1993 et ensuite elle __________ (aller) à l'université __________ quatre ans. Elle __________ (avoir) un mastère d'informatique __________ sept ans. Elle __________ (travailler) comme responsable réseau à la mairie __________ trois ans, puis elle __________ au chômage __________ deux ans. Elle __________ (avoir) un poste d'ingénieur chez Alsthom où elle __________ (travailler) deux ans. Isabelle __________ (être) mariée __________ cinq ans et maman d'une petite fille __________ quatre ans.

Activité 47

1 Complete the following sentences by putting the infinitive in brackets into the correct form of the imperfect tense.

Complétez les phrases suivantes.

(a) Quand il __________ (être) plus jeune, il __________ (travailler) à l'usine.

(b) Nous __________ (partir) souvent en colonies de vacances.

(c) Où est-ce que tu __________ (aller) à l'école?

(d) Qu'est-ce que vous __________ (faire) quand vous __________ (être) étudiant?

(e) Je __________ (voyager) deux mois par an. C'__________ (être) la belle vie!

(f) On __________ (faire) souvent la fête entre amis. Ces soirées __________ (être) fantastiques!

(g) Quand elle __________ (être) adolescente, elle __________ (être) plutôt ronde.

(h) C'est ici que vous __________ (habiter) avant?

2 Complete the following extract from a magazine life-story by putting the verbs in the present tense, imperfect tense or *passé composé*.

Complétez le texte.

Quand j' __________ (être) adolescent, je __________ (partir) souvent avec mes amis, l'été. On __________ (prendre) le train pour la côte d'Azur. Ma tante __________ (avoir) une maison à Nice. C' __________ (être) génial! On __________ (aller) à la plage tous les après-midis. Comme on n'__________ (avoir) pas beaucoup d'argent, on __________ (chercher) des petits boulots à faire le soir ou le matin. Moi, je __________ (livrer) des pizzas. Un jour à Nice j' __________ (rencontrer) Sophie. Maintenant on __________ (être) mariés depuis six ans. On __________ (aller) de temps en temps à Nice pour les vacances.

livrer
to deliver

Activité 48 Extrait 56

1 Read the sentences in step 2 and check that you know all the words. If not, look them up in a dictionary.

Cherchez les mots.

2 Listen to the dialogues in Extract 56 and say if the following sentences are true or false.

Écoutez et cochez 'vrai' ou 'faux'? Corrigez les erreurs.

	Vrai	Faux
(a) Colette a été professeur de yoga pendant une dizaine d'années.	❑	❑
(b) Colette a été biologiste à l'hôpital pendant dix ans.	❑	❑
(c) Pascal est militaire depuis qu'il a quinze ans.	❑	❑
(d) Maryse est assistante maternelle depuis six ans.	❑	❑
(e) Élisabeth a été esthéticienne pendant trois ans.	❑	❑
(f) Ça fait cinq ans que Patrick est responsable technique.	❑	❑
(g) Lionel a été acteur pendant huit mois.	❑	❑

Activité 49

1 Make a few notes about yourself, your career and any qualifications you have. You can make up information if you prefer to.

Prenez quelques notes sur vous-même.

2 Record yourself, using the notes you made in step 1. Make sure you use the present, *passé composé* and imperfect tenses, and expressions such as *depuis*, *pendant*, *quand*, etc.

Enregistrez-vous.

FAITES LE BILAN

Now that you have finished the last five sessions of the unit, you should be able to:

- Talk about qualifications, work and daily routines ❑
- Agree and disagree in a job interview ❑
- Write formal letters ❑
- Use words and phrases relating to the education system ❑
- Use *depuis* with the present tense ❑
- Use the imperfect tense ❑
- Compare the past with the present ❑

Tick each box when you think you can do each point. If you are not sure about something, go back and revise it in the appropriate session.

Corrigés

Activité 1

1 (a) Villeneuve-lès- Avignon

(b) Le Pont du Gard

(c) Saint-Rémy de Provence

(d) Les Baux de Provence

(e) Arles

(f) Les Saintes-Maries de la Mer

2 (i) … se trouve à proximité d'Avignon

(ii) … un village pas loin de…

(iii) … est situé à une vingtaine de kilomètres d'ici…

(iv) … se trouve à 35 kilomètres de…

Activité 2

1 (a) Ancient / archaeological sites.

(b) Old Roman ruins in St. Rémy-de-Provence, the Gallo-Roman arenas in Arles, the famous Roman aqueduct of Pont du Gard.

(c) Arles.

(d) The Pont du Gard.

2 (a) (ii), (b) (ii), (c) (iii), (d) (iii), (e) (ii), (f) (iii)

Activité 3

Check your answers on the CD and in the transcript. You may have used other phrases than those given in the answers. For example, for 'about… from…' you could have said '*C'est **à une quarantaine de** kilometres d'Avignon*', and for 'and about 100 metres wide' you might have said '*et **environ 100 mètres de** large*'.

Activité 4

1 (a) Bayonne, (b) Hendaye, (c) Lourdes

2 Here are sample answers which you will find recorded on Extract 31.

> Tarbes se trouve à environ vingt kilomètres de Lourdes et à une soixantaine de kilomètres de la frontière espagnole.
>
> Cauterets est situé à une quinzaine de kilomètres de la frontière espagnole et à proximité de Pont d'Espagne.

Did you include expressions you have learnt in the session, such as: *à … de, est situé à, à proximité de, pas loin de, se trouve à*?

Activité 5

Here is a sample answer:

> La ville de Winchester est très historique et **se trouve à** une vingtaine de kilomètres de Southampton, où j'habite. La belle cathédrale **est située** dans le centre et **fait environ** 190 mètres **de long**. Winchester est aussi très célèbre pour son collège, pas loin de la cathédrale.

Did you manage to include expressions you have learnt so far, such as: *se trouve à, à … de…, est situé(e), fait …de long, environ, pas loin de*?

Activité 6

1 (a) In the winter he goes to Cauterets, and in the summer he goes to Hendaye.

(b) He likes the mountains, going skiing in the mountains, the sea, and the beach.

2 (a) J'y passe souvent mes vacances.

(b) Nous y allons tous les ans.

(c) J'y vais souvent.

Activité 7

1 and 2 Check your answers on the CD and in the transcript, for both steps. Did you remember to include the time phrase?

Activité 8

1

Personne	aime/préfère/ apprécie	déteste
Pierre	**partir à l'étranger**	les vacances organisées
Colette	rester chez elle (l'été); **partir à l'étranger (l'hiver)**	
Agnès	**la montagne**	**le camping**
Pascal	**la mer**	**la montagne** (*he actually says*: 'la montagne n'est pas faite pour moi' – i.e. '*it isn't for me*').
Maryse	**la mer**, les vacances à la montagne	**les vacances en voyage organisé**
Élisabeth	**la mer**	**la montagne** (*she uses the expression*: 'je ne supporte pas', *meaning* '*I can't stand…*').

2 Note the use of *le/la/les* in French even when 'the' can be omitted in English.

(a) J'aime bien rester chez moi l'été.

(b) Je déteste le camping.

(c) Je préfère la mer, mais j'apprécie les vacances à la montagne.

(d) Je déteste les vacances en voyage organisé (*which is actually more correct French than what Pierre says*: 'les vacances organisées'. *You will often hear French people just say* 'les voyages organisés.)

(e) Je ne supporte pas la montagne.

(f) La mer, je trouve ça formidable.

Activité 9

Check your answers on the CD and in the transcript.

Activité 10

Check your answers on the CD and in the transcript.

Activité 11

1 Here is a sample answer.

D'habitude, j'apprécie les voyages à l'étranger. J'aime bien la France: c'est un pays magnifique: j'y vais la semaine prochaine. Quelquefois, je vais en Espagne; j'aime beaucoup la mer. J'y trouve les plages formidables; par contre, j'ai horreur des voyages organisés et je ne supporte pas le camping.

2 Here are some key words (e.g. verbs and nouns) you could have written, based on the sample answer in step 1. This is all you need as prompts.

j'apprécie l'étranger / la France / la mer / les plages

j'ai horreur des voyages organisés / le camping

When recording something you have prepared in written form, think of sounding as natural as possible. Try not to read out every word, as this tends to distort the intonation and may encourage interference from your native-language pronunciation.

You can listen to Extracts 35 and 36 again to practise pronunciation of the [ʀ] sound.

Activité 12

1 (a) (iv), (b) (i), (c) (v), (d) (iii), (e) (ii)

2 (a) (ii), (b) (i), (c) (i), (d) (iii), (e) (i)

3 These verbs all have an extra word between the subject and the verb: *se / nous / m' / s'*.

Activité 13

1 (a) Je **me repose** tout le temps.

(b) Tu **t'amuses** bien?

(c) Elle **se détend** ce week-end.

(d) Nous ne **nous promenons** pas tous les dimanches.

(e) Vous **vous ennuyez** souvent?

(f) Ils ne **se régalent** pas au restaurant.

2 Check your answers on the CD and in the transcript. Did you try doing this activity without looking at your answers to step 1?

Activité 14

1 (a) (ii), (b) (iii), (c) (iv), (d) (i)

2 (a) Ici il pleut et je m'ennuie terriblement.

(b) Je me régale aux restaurants.

(c) Je me baigne tous les jours.

(d) Je pense que mes parents s'ennuient.

(e) Ils se promènent beaucoup.

(f) Nous ne nous occupons pas beaucoup de nos enfants.

(g) On se détend beaucoup.*

(h) On ne s'ennuie jamais!*

* Remember that 'we' is often translated by '*on*'.

3

	Infinitif
je m'ennuie	**s'ennuyer**
je me repose	**se reposer**
je me régale	**se régaler**
nous nous amusons	**s'amuser**
je me baigne	**se baigner**
ils se promènent	**se promener**
on se détend	**se détendre**
on ne s'ennuie jamais	**s'ennuyer**

The infinitive of a reflexive verb always includes the pronoun *se / s'*.

Activité 15

1 Here is a sample answer. Did you try to use the reflexive verbs you have met in this session? Make sure also that you change the verb endings, e.g. when the subject changes from *'je'* to *'ils' (mes amis)*.

> Salut Claude! Nous sommes en Provence, pas loin de la mer. Je me promène beaucoup, mais je me repose aussi. Le soir, je me baigne souvent dans la mer parce que c'est très agréable. Mes amis s'amusent beaucoup – ils font de la planche à voile. Il fait très beau et nous nous régalons dans les restaurants – nous y mangeons beaucoup de spécialités régionales.

You might like to keep your answer and try it again later to see whether you can speak a little faster and more confidently.

2 This is a sample answer which you can compare with your own. Note that you can vary between '*nous*' and '*on*'. Did you try to include some time phrases and did you begin and end your postcard appropriately?

> Chers cousins,
>
> Nous sommes ici en Provence et nous avons beaucoup de chance; il fait très beau tout le temps! On joue au volleyball sur la plage, et on se baigne tous les jours. Mes amis s'amusent beaucoup – ils font de la planche à voile, mais je préfère jouer au tennis – et je me repose beaucoup! Nous nous promenons aussi dans les petits villages pas loin de la mer.
>
> Il y a des restaurants merveilleux au centre de la ville et nous y allons très souvent le soir. Nous nous régalons beaucoup – surtout avec les spécialités régionales.
>
> Grosses bises,
>
> Suzanne

Activité 16

1 You should have ticked (a), (b), (c), (d), (e) and (f).

2 Christine asks: '*Est-ce que vous êtes déjà allés à Villeneuve-lès-Avignon?*'.

3 (a) Nous avons déjà visité le Palais il y a un an.

(b) Nous sommes allés à Villeneuve en septembre dernier.

(c) Nous n'avons pas encore visité les arènes.

(d) Nous n'avons pas encore décidé.

Activité 17

(a) Elle est déjà allée à Avignon.

(b) Il a déjà vu le Pont St Bénezet.

(c) Ils n'ont pas encore visité le musée du Petit Palais.

(d) Il est déjà allé à Villeneuve-lès-Avignon.

(e) Ils n'ont pas encore visité le Palais des Papes.

(f) Elle n'a pas encore vu la Tour Philippe le Bel.

Did you remember to make the right agreement on *allé(e)*?

Activité 18

Here is the translated e-mail:

> They arrived in Avignon two weeks ago. They have already been there a year ago, but they haven't yet visited the surrounding region. It's easier this time because they have their car. They have already done a three day tour of Provence.

You might like to return to this translation at a later date and try translating it back into French.

Activité 19

1 The people are talking about what they did for their holiday this year.

2 être, se reposer, se reposer, s'amuser, faire, manger, visiter.

3 *Être*. This will be fully explained in G20.

Activité 20

(a) Les vacances sont presque terminées. Nous **nous sommes reposés** cette année.

Il **a fait** très beau, donc nous **avons fait** du tennis. Nous **nous sommes promenés** un peu dans la région basque et nous **avons mangé** beaucoup de spécialités régionales.

(b) Cette année, nous **sommes allés** à Paris. Nous **nous sommes promenés** beaucoup et nous **avons visité** beaucoup de musées. Les enfants **se sont ennuyés** un peu mais en général ils **se sont amusés**. Souvent nous **avons mangé** dans le quartier chinois – nous **nous sommes régalés**.

Activité 21

1 Check your answers on the CD and in the transcript.

The literal meaning of the tongue-twisters is: 'Grégoire is watching the thrush whilst nibbling a large stick of (grenadine) barley sugar' and: 'Four forty-year-olds take in hand forty insolent children. It's totally exhausting'.

Activité 22

1 (a) (i) Les remparts font **4 km 700** de **long**.

(ii) Le Rhône fait **812 km** de **long**.

(iii) Le Mont Ventoux fait **1 907 m** de **haut**.

(iv) C'est à **environ une heure** de voiture.

(v) C'est à **une soixantaine** de kilomètres.

(b) (vi) Il y a un **très, très beau panorama** du sommet.

(vii) On peut monter **jusqu'en haut/ jusqu'au sommet**.

(viii) Le Rhône est **un fleuve** superbe. (un fleuve = *a river*)

(ix) Il y a **des croisières** sur le Rhône (une croisière = *a cruise*).

2 Here is a sample answer using information and expressions from Sessions 1–5 of this unit. Did you try to use as many different verbs as possible and remember that you can use either '*nous*' or '*on*' with the verbs?

Nous nous sommes promenés sur les remparts à Avignon et nous avons fait une superbe croisière sur le Rhône. Nous nous sommes bien amusés et nous avons trouvé ça formidable. Le Mont Ventoux se trouve à une heure de voiture. Nous sommes montés jusqu'en haut. Nous nous sommes reposés au sommet – il y a un magnifique panorama. Le soir on a mangé beaucoup de spécialités régionales au restaurant, et on s'est régalés!

Activité 23

1 Here is the completed postcard:

Fougères **se trouve** à une soixantaine de kilomètres de la mer. Hier nous sommes allés à Saint-Malo; nous **nous sommes promenés** le long des remparts, et à midi, nous avons mangé des crêpes. On **s'est régalés**! Ensuite, pendant l'après-midi, on **s'est détendus** sur la plage, et on **s'est baignés** dans la mer. Je pense que Benjamin **s'est ennuyé** un peu, mais le soir il **s'est amusé** avec ses amis.

Note the '*-s*' ending on the past participle when '*on*' refers to more than one person.

2 Here is sample answer to compare with your own. The important thing is to check the form of verbs in the *passé composé*.

Clermont-Ferrand se trouve à une cinquantaine de kilomètres du Mont Dore. Aujourd'hui, nous avons visité le château de Boussac – qui est situé à environ 30 kilomètres. Il y a un panorama superbe, donc j'ai pris des photos. On s'est détendus, on s'est promenés dans les collines. On a trouvé un petit village avec un bon restaurant. On s'est régalés, c'était délicieux.

Après, nous sommes rentrés et nous nous sommes reposés.

In familiar spoken French, it is quite normal to switch from the '*nous*' to the '*on*' form of the verb.

Activité 24

Check your answers on the CD and in the transcript.

Activité 25

Here is a sample answer:

Cher ami / Chère amie

Je suis en Bretagne, mais je déteste le surf et je m'ennuie terriblement. Il pleut tout le temps ici.

J'ai horreur de Brest. Je préfère Hendaye. J'y suis allé l'année dernière: c'était fantastique! On peut se baigner dans la mer et bronzer sur les plages.

Et puis, je ne supporte pas le camping quand il pleut. Par contre la gastronomie en Bretagne, quel régal!

Salut,

Maurice

Check to see if you used some reflexive verbs and included the vocabulary you've come across in the first five sessions.

Activité 26

1

	Avant	**Maintenant**
Jacques	**dentiste à l'hôpital**	**dentiste dans un cabinet privé**
Pierrette	**comptable à l'hôpital (a travaillé dans le service comptable)**	**assistante de direction dans une société de transport**

2 Pierrette says: '*J'ai travaillé à la comptabilité pendant deux ans*'.

3 (a) (iii), (b) (i), (c) (ii)

4 (a) The verb forms in the extract are:

Qu'est-ce que vous faites	nous sommes
je suis dentiste	Vous êtes
C'est	j'ai commencé
Ça fait	J'ai travaillé
vous avez	j'ai repris
j'ai	J'ai passé
j'ai travaillé	je suis
j'ai rencontré	

(b) (i) *depuis* goes with the present (*'Nous sommes mariés* ***depuis*** *sept ans.'*)

(ii) *pendant* goes with the *passé composé* (*'J'ai travaillé…* ***pendant*** *deux ans.'*)

Activité 27

Here is a sample answer:

Il est employé de banque depuis trente-trois ans, mais avant, il a été prothésiste dentaire pendant cinq ans.

Did you remember to use the present tense with *depuis*?

Activité 28

(a) *Nous sommes mariés depuis sept ans.*

(b) I worked in the accounts department for two years.

(c) *Je suis assistante de direction depuis trois ans.*

(d) I've been in the catering business for ten years.

(e) *J'ai travaillé comme boulanger pendant trois ans.*

(f) He worked for Renault for fifteen years.

(g) She's been in charge of marketing for four to five months.

Activité 29

1 Check your answers on the CD and in the transcript.

2 Here is a sample answer. Remember to check the tenses of verbs referring to the past and the present. Note the use of sequencing words like *après* and *puis*.

> **Je suis** photographe depuis six ans. **Je travaille dans** une agence de presse et je suis responsable des reportages de mode. Après mes études, j'ai travaillé pour un journal local pendant deux ans. Puis, j'ai fait un peu de journalisme pour la télévision pendant six mois. Aujourd'hui, je suis heureux/heureuse dans ma vie professionnelle: j'aime beaucoup mon travail. Depuis un an, **j'occupe un poste** de reporter international et je voyage souvent en Europe.

(If you were to describe the career of someone you know, you would use *il* or *elle* with the appropriate verb forms.)

Activité 30

1 His job is *chercheur* ('researcher') in the organization called CNRS.

2 Here is Pierre's work profile with the three errors corrected.

Métier: chercheur au CNRS

Formation:

Bac scientifique ✓

~~Maîtrise d'informatique~~
Maîtrise en photographie

~~Doctorat en photographie~~
Doctorat en informatique

Langues: ~~allemand~~ anglais   italien ✓

Activité 31

1 Here are the completed CV details. When giving details in note form, there is no need to include the article (*un/une/le/la*), as in '***une** maîtrise*', for example.

Extract 47
Métier: **Avocat**
Formation: **maîtrise en droit (Université de Nanterre)**
Langues: **anglais, espagnol, allemand, vietnamien, italien, russe***

* In an actual CV he would have written: *anglais courant, espagnol courant, vietnamien: notions*. The following terms are used to describe levels of proficiency in a language: *notions* (working knowledge), *parlé* (moderate spoken language), *courant* (fluent in written and spoken language), *bilingue* (bilingual).

Extract 48
Métier: Hôtesse au sol
Formation: **Bac Économie, BTS Tourisme, Diplôme d'hôtesse**
Langues: **anglais, espagnol**

2 **Extrait 46:**

J'ai passé un bac scientifique.

J'ai obtenu une maîtrise en photographie et un doctorat en informatique.

Extrait 47:

J'ai fait une maîtrise en droit à l'université de Nanterre.

Extrait 48:

J'ai terminé mes études de BTS Tourisme.

J'ai passé un bac Économie.

Je suis allée dans une école privée pour mon BTS Tourisme.

J'ai obtenu donc un BTS Tourisme et également un diplôme d'hôtesse.

In Unit 6, Session 9, it was suggested that you learn past participles as you come across them. *Obtenir* is another verb that conjugates like *tenir*: *obtenir* → *obtenu*.

Activité 32

1

	Lieu de formation	Qualifications	Vie professionnelle
1992	**Lycée**	**Bac littéraire**	
1996	**Université**	**Licence d'anglais**	
1996–1998			**a travaillé dans une librairie**
1998–2001	**IUP**	**Diplôme de réalisateur multimédia**	
2002–aujourd'hui			**travaille dans une agence de communication: webmaster**

2 (a) Oui, j'ai **passé** le bac en 1992.

(b) Je suis **allée** à l'université.

(c) J'ai **eu** ma licence d'anglais en 1996.

(d) Et puis, j'ai décidé de **reprendre** mes études.

(e) J'ai **passé** un diplôme de réalisateur multimédia.

Remember that *passer un examen* means 'to sit an exam', not 'to pass an exam'.

Activité 33

This is a sample answer. All the verbs here (apart from the final sentence) are in the *passé composé*. Remember to check the use of the verbs *avoir* or *être*, and the form of past participles.

> **D'abord**, il a eu son bac à dix-sept ans. **Ensuite**, il a travaillé dans une agence de voyage pendant 1 an. **Après**, il est allé à l'université. Il a suivi des cours d'histoire de l'art. Il a passé sa licence à vingt-et-un ans et **puis** il a cherché du travail. **Après** six mois il a trouvé un emploi dans un musée. Il a fait ce travail pendant quatre ans. **Enfin**, il a repris des études à l'âge de vingt-six ans et il a maintenant un mastère 'Vie culturelle'. Il travaille depuis un an au service culturel de la région.

Activité 34

1 Here are some possible notes relating to someone who has trained as a doctor.

- A levels (à dix-huit ans)
- Études de médecine (six ans)
- Stagiaire à l'hôpital pendant deux ans
- Médecin pédiatre dans un cabinet privé

2 Here is a sample answer for a recording based on the notes in step 1:

> J'ai passé mes A Levels à l'âge de dix-huit ans. Ensuite, j'ai suivi des études de médecine pendant six ans. J'ai été stagiaire à l'hôpital pendant deux ans, et maintenant, je suis pédiatre dans un cabinet privé depuis dix-huit mois.

Did you check the tenses of the verbs you used – and did you include *pendant?*

Activité 35

1 **Jean:**

... je **regarde** le sport...

Je **dors** souvent.

Je **suis** fatigué.

Je **travaille** trop.

Je n'**ai** pas de temps.

Je **voyage** en train.

Je ne **fume** plus.

Je **perds** mes cheveux.

Malika:

... je **dirige** une entreprise...

J'**ai** confiance.

Je **suis** mince.

Je **sors** souvent avec mes amis.

Je **fais** beaucoup de sport.

Je **suis** au régime.

2

	Avant
Jean	je jouais, **j'étais, je faisais, j'allais, je collectionnais, je partais, je fumais**
Malika	**j'avais, j'étais, je ne sortais jamais, je ne travaillais pas, je mangeais**

3 All the verbs end in *-ais*. This is to indicate the *je* form of the imperfect tense, as you will see in G23.

Activité 36

Here is a sample answer. Remember to use the imperfect tense to describe situations and repeated events in the past.

> Quand il avait vingt-cinq ans, François était marié. Il ne travaillait pas: il était au chômage. Il était très sportif. Il faisait du vélo et aimait faire des randonnées en montagne. Quelquefois, le dimanche, il allait voir ses parents à la campagne. Il partait toujours en vélo. Il ne prenait jamais le bus ou la voiture.
>
> Maintenant, François est divorcé. Il fait un peu moins de sport. Il va parfois à la piscine. Il va voir ses enfants deux fois par semaine. Il est chauffeur de bus à temps partiel... Maintenant il veut changer de métier et donc il suit des cours d'anglais par correspondance.

Activité 37

1 (a) travaillait

(b) aimait

(c) était

(d) voulait

(e) avait

(f) adorait

(g) était ... voulait

2 Here is a possible answer. Did you use the imperfect tense to describe what things were like and what you used to do?

> Quand j'**avais** dix ans, j'**allais** souvent chez mon amie Sonia. Son père **avait** un hôtel-restaurant au bord de la mer. Nous **jouions** dans tout l'hôtel. C'**était** immense... Souvent nous **allions** à la plage et nous **nous amusions** avec les amis de Sonia. Nous **jouions** au ballon et nous

faisions des châteaux de sable. Puis nous **nous baignions** dans la mer chaude. C'**était** magnifique!

Activité 38

2 pilote – Philippe
spéléologue – Élisabeth
danseuse – Agnes
prêtre – Francis

3 **Agnès**: Elle n'est pas devenue danseuse parce qu'elle n'était pas douée pour la danse.

Philippe: Il n'est pas devenu pilote parce que la vitesse est dangereuse et ça coûte trop cher.

Francis: Il n'est pas devenu prêtre parce qu'il ne voulait pas rester célibataire.

Élisabeth: Elle n'est pas devenue spéléologue parce qu'elle n'était pas assez courageuse.

Activité 39

Check your answers on the CD and in the transcript. Did you use the imperfect tense in some of your answers? (e.g. *j'étais, je n'avais pas, je voulais…?*).

Activité 40

1 You may not have known: *un viticulteur* (a wine grower); *un vendangeur* (a grape picker).

2 1 (b), 2 (c), 3 (a).

3 (a) (i), (b) (ii), (c) (iii), (d) (ii), (e) (i), (f) (ii)

4 Here are the expressions of agreement and disagreement from the transcript:

Dialogue 1:
Non, mais quand j'avais seize ans.

Vous avez raison, mais j'adore être dehors.

Dialogue 2:
C'est vrai, mais quand j'étais plus jeune je travaillais dans une auberge de jeunesse.

C'est vrai qu'il est moins bon **mais** quand j'allais en vacances en Espagne, je n'avais pas de problème.

Dialogue 3:
Oui, mais vous savez, pour faire des études.

Oui, je suis d'accord avec vous, par contre je sais travailler vite.

Activité 41

1 (a) (iii), (b) (v), (c) (iv), (d) (i), (e) (ii)

2 Here are some possible answers. The expressions for agreeing and disagreeing are in bold.

(a) **Vous avez raison, par contre,** j'aidais souvent à la pizzeria de mon oncle pendant les vacances.

(b) **C'est vrai, mais** j'ai travaillé avec les enfants dans le club de foot de mon village.

(c) **Oui, je suis d'accord avec vous, mais** j'ai travaillé comme serveuse dans un café pendant les vacances.

(d) **Vous avez raison, mais** j'apprends le français depuis un an maintenant.

(e) **C'est vrai, par contre**, j'ai travaillé dans un pub et je finissais souvent à une heure du matin.

Activité 42

1 (d), (a), (e), (b), (c)

Here is the text of the letter in the correct order:

Madame, Monsieur,

J'ai pris connaissance de l'annonce que vous avez passée dans l'*Est Républicain* pour un poste de serveur en salle. J'ai l'honneur de poser ma candidature pour ce poste pour l'été prochain.

J'ai obtenu une licence de géographie et je viens de passer mon diplôme d'œnologie à l'IUT des Métiers du vin à Dijon. Je suis à la recherche d'un travail dans le milieu de la restauration. Je connais bien ce milieu parce que j'ai été serveur et barman à Londres.

Je travaillais tard le soir et j'ai appris l'anglais sur le terrain. L'année dernière, j'ai fait les vendanges en Alsace et en Bourgogne. Ma connaissance du vin et mon endurance physique vont vous convaincre de l'intérêt de ma candidature. Je me tiens à votre disposition pour un rendez-vous à votre convenance.

Veuillez agréer, Madame, Monsieur, l'expression de mes sincères salutations.

2 Section (a): introducing his application.
Section (b): summarising the most important aspects of his CV.
Section (e): summarising his work experience.

(We know the applicant is male because he says he was a *serveur,* not a *serveuse.*)

Activité 43

1

	À quelle heure quitte-t-il la maison?	Comment va-t-il au travail?	Est-ce qu'il rentre à la maison à midi?	Est-ce qu'il travaille le week-end?
Jean-Claude	**à 8 h 30**	**à pied**	**non, jamais**	**parfois / assez rarement**
Philippe	**à 7 h 30**	**en vélo**	**non, jamais**	**de temps en temps**
Francis		**en train**	**non**	**non, jamais**

2 Here is an example of some possible notes:
Quitte maison – 8 h 30
Prends bus – parfois en vélo
Ne mange jamais
Week-end: footing; regarde télévision; sors avec amis

3 Here is a sample answer based on the notes in step 2. Remember to check your verb endings.

Je quitte la maison **tous les jours** à 8 h 30. **Normalement**, je prends le bus, mais **parfois** je vais au travail en vélo. Je ne mange **jamais** le midi. Le week-end, je travaille **rarement**. **En général**, je fais un footing le matin. Le soir, je regarde **souvent** la télévision. Mais **de temps en temps**, je sors avec des amis.

Activité 44

1 (a) present tense
(b) *passé composé*
(c) present tense
(d) present tense
(e) *passé composé*

2 (a) depuis
(b) pendant
(c) depuis
(d) depuis
(e) pendant

3 (a) est
(b) sommes allés
(c) a
(d) allez
(e) a fait … est

In Session 6 you were shown the use of *depuis* with the present tense to talk about something that started in the past and is continuing in the present. To denote something that happened over a period of time in the past, *pendant* is used with the *passé composé*.

Activité 45

1 (a) (i), (b) (iii), (c) (ii), (d) (iii), (e) (ii), (f) (iii), (g) (ii), (h) (iii)

2

Poste actuel	**Directeur de centre social**
Formation	
1993	BEP Coiffure
1998	**Baccalauréat***
2002	**Licence en sciences sociales**
Expérience professionnelle	
1993–1997	**Coiffeur**
1998–2002	**Petits boulots; serveur.**
2003–2004	**Directeur-adjoint d'un centre pour les personnes handicapées.**

* He says '*le bac*'.

Activité 46

Isabelle **est née** en 1975. Elle **monte** à cheval **depuis** l'âge de dix ans. Elle **a passé** son bac en 1993 et ensuite elle **est allée** à l'université **pendant** quatre ans. Elle **a** un mastère d'informatique **depuis** sept ans. Elle **a travaillé** comme responsable réseau à la mairie **pendant** trois ans, puis elle **a été** au chômage **pendant** deux ans. Elle **a eu** un poste d'ingénieur chez Alsthom où elle **travaille depuis** deux ans. Isabelle **est** mariée **depuis** cinq ans et maman d'une petite fille **depuis** quatre ans.

As with Activité 44, remember that *depuis* is used with the present tense to describe things that are still going on. Make sure you check the past participles of any verbs you use in the *passé composé*, and their agreements where necessary.

Activité 47

1 (a) Quand il **était** plus jeune, il **travaillait** à l'usine.

(b) Nous **partions** souvent en colonies de vacances.

(c) Où est-ce que tu **allais** à l'école?

(d) Qu'est-ce que vous **faisiez** quand vous **étiez** étudiant?

(e) Je **voyageais** deux mois par an. C'**était** la belle vie!

(f) On **faisait** souvent la fête entre amis. Ces soirées **étaient** fantastiques!

(g) Quand elle **était** adolescente, elle **était** plutôt ronde.

(h) C'est ici que vous **habitiez** avant?

Refer to Session 8 if you need to check the endings of the imperfect tense.

2 Quand j'**étais** adolescent, je **partais** souvent avec mes amis, l'été. On **prenait** le train pour la côte d'Azur. Ma tante

avait une maison à Nice. C'**était** génial! On **allait** à la plage tous les après-midis. Comme on n'**avait** pas beaucoup d'argent, on **cherchait** des petits boulots à faire le soir ou le matin. Moi, je **livrais** des pizzas. Un jour à Nice **j'ai rencontré** Sophie. Maintenant on **est** mariés depuis 6 ans. On **va** de temps en temps à Nice pour les vacances.

Note how the majority of the verbs in the text are in the imperfect tense– to describe what used to happen in the narrator's youth. The exceptions are *j'ai rencontré,* used to relate something that happened on one occasion (*un jour*), and *'on est'* in the present tense. (This will be fully explained in Unit 9.)

Activité 48

1 You may not have known *'esthéticienne'* ('beautician') or *'responsable technique'* ('studio production manager').

2 (a) Faux. (Elle est professeur de yoga depuis plus de vingt ans.)

(b) Vrai.

(c) Vrai.

(d) Faux. (Elle est assistante maternelle depuis une dizaine d'années.)

(e) Faux. (Elle a été informaticienne pendant trois ans.)

(f) Vrai.

(g) Faux. (Il est facteur depuis huit mois.)

Activité 49

1 Here are some notes a journalist might have written:

journaliste – 14 ans

étudiant(e) – Berlin – 2 ans – allemand

Italie – journal – 4 ans

radio – 10 ans

Toulouse 2 mois – journaliste sportif

A retired electrician might have made the following notes:

57 ans – retraite 5 ans

16 ans: GCSE

café – parents

18 ans – électricien – 30 ans

48 ans – accident – mal au dos

OU – 2 ans – diplôme

When making notes, write down only the essential information which will be easy to retain.

2 Here is a sample answer based on the journalist's notes in step 1:

Je suis journaliste depuis quatorze ans. Quand j'étais étudiant(e), je vivais à Berlin. Je suis resté(e) à Berlin pendant deux ans. J'ai appris à parler allemand. Ensuite, j'ai travaillé dans un journal en Italie pendant quatre ans. J'ai aussi travaillé pour la radio pendant une dizaine d'années. Maintenant je suis en France depuis six mois. Je travaille à Toulouse comme journaliste sportif.

And here is a sample answer based on the retired electrician's notes in step 1:

J'ai cinquante-sept ans et je suis en retraite depuis cinq ans. J'ai passé mes examens de GCSE à seize ans, puis j'ai aidé mes parents dans leur petit café. Ensuite, à dix-huit ans, j'ai trouvé un poste comme électricien dans une grande enterprise. J'ai travaillé pendant trente ans mais j'ai eu un accident de voiture quand j'avais quarante-huit ans. Après j'avais très mal au dos et j'ai décidé de demander la retraite. Maintenant j'étudie à l'Open University depuis deux ans et je prépare un diplôme.

This is audio CD 4 of the Open University French course, *Bon départ*.

UNIT 7

Extrait 1

Lucas Oh, regarde comme je suis grand! Et toi aussi, tu es grande!

Sylviane Et là, je suis grosse, hein! Et toi, tu es encore plus gros qu'en réalité.

Lucas Ah, merci… Avance! Oh, et là, regarde, je suis musclé! Je suis bien, hein?

Sylviane Et moi, je suis bien, non, musclée comme ça?

Lucas Ah moi, j'aime pas!

Sylviane Et là, je suis petite, toute petite!

Lucas Oh… et moi aussi, je suis petit!

Sylviane Oh, viens voir, c'est mon miroir préféré! Regarde comme je suis belle et mince!

Lucas Excuse-moi: là, tu n'es pas mince, tu es maigre!

Sylviane Mais non, regarde, un vrai mannequin!

Lucas Eh bien moi, je te préfère comme tu es vraiment!

Extrait 2

Pierre

Question Vous pouvez vous décrire, physiquement?

Pierre Je suis grand, c'est-à-dire 1 mètre 80. J'ai les cheveux châtain clair, les yeux marron, un grand nez, qui me vient de ma grand-mère. Je suis mince et peu sportif.

Jean-Claude

Jean-Claude Je suis assez fort, grand, j'ai les cheveux bruns, des yeux verts ou vert foncé et de bonnes joues.

Colette

Colette Je suis de taille moyenne, je suis blonde, je suis assez mince.

Question Et votre fils, vous pouvez le décrire?

Colette Mon fils est plus grand que moi. Il mesure 1 mètre 82, par là. Il est blond. Il est mince… et beau.

Agnès

Agnès Je mesure 1 mètre 56. On peut dire que je suis petite. J'ai les cheveux châtain clair. J'ai les yeux bleus.

Question Et votre partenaire, vous pouvez le décrire?

Agnès Il est plus grand que moi. Il a les cheveux noirs et les yeux marron. Les cheveux coupés très courts car il est militaire.

Philippe

Philippe Je suis plutôt petit, je suis brun, les yeux noirs, et bronzé.

Question Et vos cheveux?

Philippe Mes cheveux, ils sont courts parce que je suis militaire.

Pascal

Pascal Je suis grand. Je suis presque chauve, barbu. J'ai les yeux marron. Des taches de rousseur. J'ai des[1] grandes oreilles.

Question Et votre femme. Vous pouvez la décrire?

Pascal Elle est petite. Elle a les cheveux châtain, les yeux verts.

Maryse

Maryse Je mesure 1 mètre 60 environ. Je suis châtain clair, j'ai les yeux verts. Je suis assez ronde.

Question Et votre mari, vous pouvez le décrire?

Maryse Mon mari est un homme grand, assez fort, avec des yeux marron. Il porte une barbe rase. Il est un petit peu chauve et maintenant il a un petit peu de ventre.

1 The speaker meant 'de grandes oreilles'.

Extrait 3

Répondez aux questions de l'agent.

Agent de police Alors, comment il est, votre voleur?

(*Say he's tall and skinny.*)

Vous Il est grand et maigre.

(*Say he's got straight fair hair and a beard.*)

Vous Il a les cheveux blonds et raides et il a une barbe.

Agent de police Et son visage? Vous pouvez décrire son visage en détail?

(*Say that you don't know, he's neither handsome nor ugly.*)

Vous Je ne sais pas, il n'est ni beau ni laid.

Agent de police Oui, ça, ce n'est pas très utile. Son nez, ses yeux?

(*Say you think he has blue eyes.*)

Vous Je pense qu'il a les yeux bleus.

(*And he's got pale skin and freckles.*)

Vous Et il a le teint pâle et des taches de rousseur.

Extrait 4

- Jérôme est généreux, Germaine... généreuse.
- Pierrot est prétentieux, Pierrette... prétentieuse.
- Michel est merveilleux, Marianne... merveilleuse.
- Patrick est paresseux, Patricia... paresseuse.
- Et Gustave et Georgette...
- ... sont tous les deux grincheux!

Extrait 5

Jean-Claude

Question Vous avez un ou une collègue que vous aimez bien?

Jean-Claude Oui, bien sûr.

Question Et qu'est-ce que vous aimez chez cette personne?

Jean-Claude Eh bien, il est gentil. Il est compétent. Il est généreux.

Philippe

Philippe Je l'aime beaucoup parce qu'il est très rigolo et qu'il est honnête en amitié.

Francis

Francis J'aime une collègue en particulier. Pourquoi? Parce qu'elle est tout simplement agréable avec tous, parce qu'elle sait communiquer.

Maryse

Maryse J'aime cette personne parce qu'elle est compréhensive, gentille, drôle, intéressante, enthousiaste, joviale...

Colette

Colette Elle est serviable.

Question Elle est amusante aussi?

Colette Elle est amusante.

Jean-Claude

Question Est-ce qu'il y a quelqu'un dans votre vie que vous n'aimez pas du tout?

Jean-Claude Oui.

Question Et qu'est-ce que vous n'aimez pas chez cette personne?

Jean-Claude Cette personne est malheureusement un peu hypocrite.

Agnès

Question Les gens que vous n'aimez pas, ils ont quel genre de personnalité?

Agnès Ce sont des personnes qui sont généralement impolies.

Maryse

Maryse Je n'aime pas les gens qui sont râleurs, méchants, bêtes.

Francis

Francis Ceux que je n'aime vraiment pas sont ceux qui sont intolérants et qui sont racistes.

Extrait 6

Pierre

Question Alors, le Coq... voilà: très audacieux, vous ne refusez jamais vos responsabilités. Vous êtes honnête en amour et en amitié et dans les affaires.

Pierre Je ne suis pas particulièrement audacieux.

Jean-Claude

Question Alors, le Serpent: vous avez beaucoup d'intuition et vous êtes toujours prêt à donner votre temps aux autres mais votre vie sentimentale est turbulente. Vous êtes souvent amoureux de plusieurs personnes à la fois.

Jean-Claude Je suis souvent amoureux de la même personne que j'adore et qui est ma femme!

Colette

Question Le Cochon: vous êtes née pour faire le bonheur des autres.

Colette Ça, c'est vrai.

Question Vous êtes gaie…

Colette Oui!

Question Gentille…

Colette Ah… très!

Question Désintéressée.

Colette Tout à fait!

Question Et probablement trop confiante…

Colette Ah, peut-être…

Question C'est pourquoi vous avez souvent des peines de cœur.

Colette Oui, de temps en temps.

Patrick

Question Alors, les Dragons: vous êtes très travailleur parce que vous voulez toujours être le premier. L'opinion publique compte beaucoup pour vous. Vous êtes fidèle et vos amis doivent l'être aussi.

Patrick C'est un portrait absolument parfait.

Extrait 7

Une amie, Caroline, téléphone à Lucas.

Caroline Tu as reçu mes photos?

Lucas Justement, on est en train de regarder la photo de ta famille.

Caroline Ah oui, elle est bien, non?

Lucas Très bien. Le garçon qui porte des lunettes devant, c'est ton frère?

Caroline Oui, c'est Thomas et à côté de lui, c'est sa copine Dominique avec le pull rayé. Elle est très gentille. Elle est journaliste.

Lucas Et ton père, c'est le monsieur qui porte une casquette de baseball?

Caroline Non, ça c'est mon oncle Michel. Il a soixante-cinq ans mais il veut rester jeune, tu comprends! Il met les vêtements de son fils et s'habille dans des magasins pour jeunes. Il ne sort jamais sans sa casquette! Sa femme, c'est la dame avec le bonnet en laine.

Lucas Et ton père, il est où, alors?

Caroline Derrière Thomas. Tu le vois? Il porte un vieux blouson en cuir. Ma mère est juste à sa gauche, entre mon cousin Julien et mon père. Elle a une écharpe autour du cou.

Lucas C'est dommage! Tu n'es pas sur la photo.

Caroline Ben non, c'est moi qui ai pris toutes les photos, ce jour-là.

Extrait 8

Posez les questions à Sylviane.

Sylviane Voilà, là, c'est une photo de groupe, après la cérémonie. Moi, je suis là, avec mon ensemble vert pâle.

(*Ask whether her husband is wearing a striped suit.*)

Vous C'est votre mari qui porte un costume à rayures?

Sylviane Oui, Lucas est là, derrière moi, sur ma gauche.

(*Ask whether it is her father-in-law beside her husband.*)

Vous C'est votre beau-père qui est à côté de votre mari?

Sylviane Non, c'est mon père, Jean-Claude.

(*Ask if it is her sister wearing a pink suit.*)

Vous C'est votre sœur qui porte un ensemble rose?

Sylviane Oui, c'est ma soeur. Elle me ressemble beaucoup, hein?

(*Ask if it's her grand-son wearing a bow tie.*)

Vous C'est votre petit-fils qui porte un nœud papillon?

Sylviane Non, le petit garçon à côté d'Aïcha, c'est mon neveu David.

Extrait 9

Christine Ça va, Sylviane?

Sylviane Oui, moi ça va, mais papa, non.

Christine Pourquoi, qu'est-ce qu'il a? Il est malade?

Sylviane Ben, il n'est pas bien depuis une semaine. Il est fatigué, il a mal à la tête, il a chaud…

Christine Il a de la fièvre? Il a peut-être une allergie?

Sylviane Non, je ne crois pas. Mais il n'a pas faim, il a soif, constamment. Et il a des vertiges. Il est allé chez le médecin ce matin avec ma soeur. J'attends un message… Ah ben voilà, ça y est, j'ai un texto de ma soeur: 'Rien de grave. Gros rhume. Bisous.'

Christine Eh ben voilà! Il a un gros rhume, c'est tout! Tu es rassurée, maintenant?

Sylviane Oui, oui, oui! Enfin, presque! Et maintenant il faut que je téléphone la bonne nouvelle à tous mes frères.

Christine Et tu as combien de frères?

Sylviane J'en ai cinq! J'en ai un qui est à Paris, deux qui sont à Avignon, et deux qui sont à l'étranger!

Extrait 10

Répondez aux questions de Christine.

Christine Comment va Jeannot?

(*Say he's got a bad cold at the moment.*)

Vous Il a un gros rhume en ce moment.

Christine Ah, le pauvre. Quel âge a-t-il exactement?

(*Say he's thirteen.*)

Vous Il a treize ans.

Christine Déjà! Et comment vont-ils, ses cousins, Joël et Cathie, les jumeaux?

(*Say they're in great shape.*)

Vous Ils sont en pleine forme.

Christine Ils ont quel âge maintenant?

(*Say they are going to be sixteen.*)

Vous Ils vont avoir seize ans.

(*Say it's their birthday next month.*)

Vous C'est leur anniversaire le mois prochain.

Christine Ils viennent bientôt?

(*Say yes, they are coming for Christmas with their parents.*)

Vous Oui, ils viennent pour Noël avec leurs parents.

Christine Et les autres enfants aussi? Combien d'enfants ont-ils, déjà?

(*Say they have five.*)

Vous Ils en ont cinq.

(*Say there are two who are in Canada.*)

Vous Il y en a deux qui sont au Canada.

(*Say there's another one who lives in Spain.*)

Vous Il y en a un autre qui habite en Espagne.

Christine Et ces trois-là reviennent quand?

(*Say they're coming back for Mother's day.*)

Vous Ils reviennent pour la Fête des Mères.

Extrait 11

Francis

Francis Je mesure 1 mètre 77. Je suis blond. Je commence à avoir quelques cheveux blancs. J'ai les yeux bleus. J'ai un nez assez long. J'ai des dents qui sont assez blanches et qui sont écartées sur le devant. Et puis, je commence à avoir un petit peu de ventre. Je dois faire un régime.

Question Vous avez quel âge?

Francis J'ai cinquante-cinq ans.

Question Et votre femme, vous pouvez la décrire?

Francis Oui, ma femme mesure 1 mètre 65, elle est brune, elle a les yeux marron et elle a un sourire magnifique avec des dents blanches. Elle est aussi un peu forte mais elle fait le régime.

Patrick

Question Vous pouvez vous décrire, physiquement?

Patrick Oui, je suis très grand, très très beau, avec un magnifique regard, des yeux verts, très souriant, des cheveux poivre et sel – enfin, je suis craquant, en fait…

Question Vous pouvez décrire votre femme?

Patrick Bien sûr. Ma femme est une ravissante brune, très typée, de type méditerranéen, avec énormément de personnalité, très vive, très… très belle.

Extrait 12

Un Je n'aime pas les gens racistes.

Deux Quelqu'un qui est agressif, qui est très critique, qui n'est pas compréhensif.

Trois Je n'aime pas les gens qui agissent par intérêt.

Quatre C'est une personne qui est très méchante.

Cinq Je n'aime pas les gens qui sont agressifs.

Six J'aime beaucoup cette personne parce que c'est quelqu'un qui sait écouter.

Extrait 13

Pierre

Question Qu'est-ce que vous faites comme sport?

Pierre De la plongée sous-marine.

Question Vous faites de la plongée souvent?

Pierre Je fais de la plongée presque toutes les fins de semaine.

Question L'hiver, l'été?

Pierre L'hiver ou l'été, peu importe.

Jean-Claude

Jean-Claude Eh bien je pratique le tennis, la natation. Je joue aux boules également.

Question Vous faites souvent de la natation?

Jean-Claude Oui, assez souvent; dans la mer ou en piscine.

Question Vous jouez aux boules quand, exactement?

Jean-Claude Je joue aux boules le plus souvent pendant l'été, en vacances, après déjeuner.

Colette

Colette Je fais de la natation, de la marche, du jardinage.

Question Vous faites de la natation tous les combien?

Colette Je fais de la natation deux fois par semaine.

Question Et vous faites souvent du jardinage?

Colette Ah oui, quand il fait beau, pratiquement tous les jours.

Question Est-ce que vous faites souvent de la marche?

Colette Régulièrement: deux fois par semaine aussi.

Question Un jour spécial?

Colette Oui, le lundi et le mercredi matin.

Question En groupe?

Colette Avec une amie et mes deux chiens.

Patrick

Question Vous faites du vélo très souvent?

Patrick Oui, je fais du vélo le plus souvent possible. Je viens même assez souvent au travail en vélo.

Question Vous faites de la course à pied tous les combien?

Patrick J'essaie de courir au moins une fois et si possible deux fois par semaine.

Lionel

Question Quel sport est-ce que tu fais régulièrement?

Lionel Je fais du footing environ deux fois par semaine, maximum.

Extrait 14

Répondez aux questions de Sylviane.

Sylviane Qu'est-ce que Christine fait le week-end?

(*Say she goes swimming and she plays* boules.)

Vous Elle fait de la natation et elle joue aux boules.

Sylviane Et ses parents?

(*Say they go jogging with their friends.*)

Vous Ils font du footing avec leurs amis.

Sylviane Vous jouez aux cartes?

(*Say you don't play cards but you play chess.*)

Vous Je ne joue pas aux cartes mais je joue aux échecs.

Sylviane Et qu'est-ce que vous faites comme sport?

(*Say that when you're on holiday you cycle every day.*)

Vous Quand je suis en vacances je fais du vélo tous les jours.

Extrait 15

Francis

Question Est-ce qu'il y a un sport que vous faisiez avant mais que vous ne faites plus maintenant?

Francis Je ne fais pas de natation en ce moment, à cause de mon dos et de mon opération.

Lionel

Question Est-ce qu'il y a un sport que tu ne fais plus maintenant?

Lionel Oui, j'ai pratiqué la plongée sous-marine et j'ai arrêté à cause d'un accident.

Extrait 16

Christine Tu viens à la plage tous les jours, Nassera?

Nassera Je viens le plus souvent possible. Tu sais, je fais de la natation hiver comme été: en hiver j'en fais à la piscine tous les soirs de huit à neuf heures, et en été j'en fais à la mer.

Christine Et de la musculation, tu en fais encore?

Nassera Non, de la musculation, je n'en fais plus, à cause de mon dos. Et toi, tu en fais?

Christine Non, je n'en fais pas, c'est trop fatigant! Mais je fais du vélo.

Nassera Ah bon? Tu en fais beaucoup?

Christine Ah, du vélo, j'en fais tous les week-ends, avec des amis. Enfin... quand il ne pleut pas!

Extrait 17

Élisabeth

Question Qu'est-ce que vous faites comme activités sportives?

Élisabeth Je fais principalement de la marche à pied.

Question Vous en faites souvent?

Élisabeth J'en fais rarement en semaine, mais j'en fais beaucoup le dimanche. J'aime marcher.

Jean-Claude

Question Et du tennis, vous en faites tous les combien?

Jean-Claude J'essaie d'en faire toutes les semaines, au club.

Agnès

Agnès Je fais beaucoup de footing et je suis inscrite à un club de sport.

Question Vous en faites tous les combien, du footing?

Agnès J'en fais quand j'ai le temps.

Philippe

Question Vous faites du football?

Philippe J'ai fait du football, je n'en fais plus.

Question Mais vous avez fait du football avant?

Philippe Oui, jusqu'à l'âge de quinze ans.

Extrait 18

Jean-Claude

Question Vous jouez à des jeux? Vous aimez les jeux?

Jean-Claude Oui, j'aime les jeux. Je joue parfois avec mes enfants au Monopoly. Je joue au Go ou encore aux échecs.

Agnès

Agnès Nous jouons beaucoup à des jeux comme le Trivial Poursuite.

Question Et avec les enfants, vous jouez à des jeux?

Agnès Je joue beaucoup à la Barbie avec ma fille et aux voitures avec mon fils.

Philippe

Philippe Oui, je joue à des jeux de société ou sur l'ordinateur.

Question Quels jeux de société?

Philippe Je joue de temps en temps au Trivial Poursuite, en vacances.

Question Et sur l'ordinateur, vous jouez à quels jeux?

Philippe À des jeux d'aventure.

Maryse

Maryse Quelquefois, je joue à la belote avec des amis. J'aime bien jouer aux boules avec mon mari.

Élisabeth

Question Vous jouez d'un instrument de musique?

Élisabeth Oui, je joue de la guitare.

Philippe

Philippe Non, je ne joue pas d'instrument de musique.

Agnès

Agnès J'ai joué du violoncelle.

Question Et vous ne jouez plus du violoncelle?

Agnès Non, j'ai arrêté quand j'avais quinze ans.

Francis

Francis Oui. Je joue de l'orgue. J'ai joué pendant 30 ans dans une église du centre-ville d'Avignon. Maintenant, je joue à Orange et à Châteauneuf-du-Pape.

Extrait 19

Christine C'est un joli prénom, Nassera. Ça veut dire quoi?

Nassera Ça veut dire 'victorieuse' ou 'protectrice' en arabe.

Christine Tu es d'origine maghrébine, mais tu es née en France, n'est-ce pas?

Nassera Oui. Mes parents sont nés en Algérie, mais moi je suis née à Avignon. Et j'ai toujours vécu en France.

Christine Tu as passé ton enfance à Avignon?

Nassera J'ai grandi à Avignon, mais j'ai poursuivi mes études à Marseille.

Christine Tu as habité combien de temps à Marseille, alors?

Nassera Je suis restée trois ans ici, et après j'ai quitté la région et je suis partie à Grenoble.

Christine Qu'est-ce que tu as fait à Grenoble?

Nassera J'ai eu de la chance: j'ai tout de suite trouvé un emploi. J'ai été secrétaire dans une grosse boîte pendant deux ans, et puis après je suis retournée à Avignon...

Christine Et maintenant tu habites Marseille!

Nassera Voilà. Je suis revenue à Marseille pour la mer! J'adore la mer!

Extrait 20

Répétez.

1 hérédité
2 hurluberlu
3 riquiqui
4 turlututu
5 charivari
6 féminité

Extrait 21

Répétez.

- J'ai un peu lu et beaucoup bu à Honolulu.
- Elle est née un lundi de janvier.
- Je suis allé au marché à Évian.
- J'ai choisi le cyclisme et l'haltérophilie.
- Il a dû manger des légumes pour mincir.
- Tu as travaillé et tu n'as pas dormi.

Extrait 22

Christine Alors, tes parents sont nés en Algérie, mais après ils sont venus en France?

Nassera Oui, après la guerre. Ils sont arrivés en 1963. Mon père a eu un contrat intéressant; il a travaillé à Paris pendant six ans, de 1964 à 1970. Puis ils sont partis à Grenoble en 1971, pour chercher du travail.

Christine Et ils en ont trouvé facilement?

Nassera Non, ils n'ont pas trouvé de travail.... Alors, ils sont allés à Avignon et, finalement, en 1972, ils ont ouvert un restaurant.

Christine Et toi, tu es née quand?

Nassera Ah, ben, d'abord ils ont eu mon frère, et puis ma sœur. Et moi, je suis née en 1977.

Christine Et le restaurant, comment ça a marché?

Nassera Ben, à partir de 1980, le restaurant est devenu assez célèbre.

Christine Donc ils ont bien réussi?

Nassera Ils ont bien réussi et maintenant ils sont très heureux à Avignon.

Extrait 23

Élisabeth

Question Qu'est-ce que vous avez fait hier?

Élisabeth Hier, j'ai fait des courses, j'ai nettoyé la maison, j'ai nettoyé le jardin, j'ai un peu lu le journal et j'ai emmené les enfants de ma voisine au parc.

Jean-Claude

Jean-Claude Hier, j'ai travaillé au bureau.

Colette

Colette Hier, je suis allée me promener avec ma cousine.

Question Vous êtes allées où?

Colette Nous sommes allées visiter un jardin.

Pascal

Pascal J'ai rangé le garage.

Philippe

Philippe Hier, je suis allé au travail. Et quand je suis rentré du travail, j'ai emballé mes affaires dans des cartons pour déménager la semaine prochaine.

Maryse

Maryse Hier, je suis allée à un marché provençal.

Question Et qu'est-ce que vous avez acheté?

Maryse J'ai acheté deux kilos d'ail.

Extrait 24

Pierre

Question Qu'est-ce que vous avez fait hier?

Pierre J'ai travaillé toute la journée et mangé avec un ami le soir.

Colette

Question Qu'est-ce que vous avez fait ce matin?

Colette Ce matin je suis allée donner des cours de sophrologie à un vieux monsieur dans une maison de retraite.

Pascal

Pascal Ce matin, j'ai fait du courrier électronique.

Maryse

Maryse Ce matin, j'ai fait la cuisine.

Question Qu'est-ce que vous avez préparé?

Maryse J'ai préparé un bœuf bourguignon.

Extrait 25

Colette

Question Qu'est-ce que vous avez fait le week-end dernier?

Colette Je suis allée à la mer parce qu'il a fait très beau.

Pascal

Pascal Le week-end dernier, nous sommes allés au cinéma voir *Men in Black II.*

Question C'est un film d'amour?

Pascal Non, c'est un film d'action, humoristique.

Philippe

Philippe Le week-end dernier j'ai fait une balade en forêt avec ma famille.

Maryse

Maryse Nous sommes allés à la piscine.

Question Et après?

Maryse Après, nous sommes allés au restaurant chinois.

Extrait 26

Vous passez un entretien. Répondez aux questions.

Question Vous êtes né(e) en quelle année?

(Say you were born in 1973 in Scotland.)

Vous Je suis né(e) en 1973, en Écosse.

Question Où avez-vous fait vos études?

(Say you did all your studies in Edinburgh.)

Vous J'ai fait toutes mes études à Édimbourg.

Question Vous avez habité en France?

(Say you lived in Provence for two years.)

Vous J'ai habité en Provence pendant deux ans.

Question Pour quelle raison?

(Say you worked at the Avignon Tourist Office for a year.)

Vous J'ai travaillé à l'Office du Tourisme d'Avignon pendant un an.

(And afterwards you lived in Marseilles.)

Vous Et ensuite j'ai vécu à Marseille.

Question Quand êtes-vous revenu(e) en Grande Bretagne?

(Say you came back three years ago.)

Vous Je suis revenu(e) il y a trois ans.

Question Que faites-vous pendant vos loisirs?

(Say you go swimming in the summer.)

Vous L'été je fais de la natation.

(And you play golf all year round.)

Vous Et je joue au golf toute l'année.

Question Vous faites du tennis, du squash?

(Say no, but you played badminton some years ago.)

Vous Non, mais j'ai fait du badminton il y a quelques années.

Question Vous n'en faites plus?

(Say no, you no longer do.)

Vous Non, je n'en fais plus.

Question Vous jouez d'un instrument?

(Say you play the piano and the guitar.)

Vous Je joue du piano et de la guitare.

Question Très bien, je vous remercie beaucoup.

Extrait 27

Escales

Il a jeté son encre
aux îles Atoulu
aux îles Atouvu
aux îles Atousu
aux îles Atouvoulu
Et terminé ses jours
aux îles Napavécu.

UNIT 8

Extrait 28

L'employée ... il y a Villeneuve-lès-Avignon, qui se trouve à proximité d'Avignon...

Le touriste J'aime beaucoup les sites anciens; qu'est-ce qu'il y a à voir pas trop loin?

L'employée Eh bien, vous avez un site d'importants vestiges romains à Saint Rémy-de-Provence.

Le touriste C'est loin d'ici?

L'employée Non, c'est à une vingtaine de kilomètres d'ici, et pas loin, vous avez aussi Les Baux-de-Provence: c'est à environ cinq kilomètres de Saint Rémy.

Le touriste Et Arles?...

L'employée Ah oui, le célèbre amphithéâtre gallo-romain: Arles est situé à 25 kilomètres des Baux.

Le touriste Ce n'est pas très loin de la mer?

L'employée Non. D'ailleurs, je vous recommande une visite aux Saintes-Maries-de-la-mer. C'est à 38 kilomètres d'Arles.

Le touriste Bon, eh bien...

L'employée Au retour, vous pouvez passer par le Pont du Gard. C'est un aqueduc romain gigantesque: il fait 273 mètres de long et 49 mètres de haut!

Extrait 29

Répondez aux questions.

Dominique Alors, qu'est-ce qu'il y a à voir dans la région?

(*Say you recommend a visit to Nîmes.*)

Vous Je recommande une visite à Nîmes.

Dominique C'est loin d'ici?

(*Say it's about 40 kilometres from Avignon.*)

Vous C'est à environ 40 kilomètres d'Avignon.

Dominique Et qu'est-ce qu'il y a à voir à Nîmes?

(*Say there's the famous Roman amphitheatre.*)

Vous Il y a le célèbre amphithéâtre romain.

Dominique Il est grand?

(*Say it's about 140 metres long...*)

Vous Il fait environ 140 mètres de long.

(*... and about 100 metres wide.*)

Vous Et une centaine de mètres de large.

Dominique Et qu'est-ce qu'il y a à voir près d'ici?

(*Say there's the Pont du Gard – it's a Roman aqueduct.*)

Vous Il y a le Pont du Gard – c'est un aqueduc romain.

(*Say it's about 20 kilometres from Avignon.*)

Vous C'est à environ 20 kilomètres d'Avignon.

Extrait 30

- Pau est à une centaine de kilomètres de la côte atlantique et à environ 60 kilomètres de la frontière espagnole.
- Bayonne est à environ 100 kilomètres de Pau, à proximité de la côte atlantique et à une cinquantaine de kilomètres de la frontière espagnole.
- Hendaye se trouve à une trentaine de kilomètres de Biarritz, sur la côte atlantique. C'est à une dizaine de kilomètres de l'Espagne.
- Lourdes est à une quarantaine de kilomètres de Pau, pas très loin des montagnes et tout près des Grottes de Bétharram. Elle est très célèbre pour ses pèlerinages.

Extrait 31

- Tarbes se trouve à environ vingt kilomètres de Lourdes et à une soixantaine de kilomètres de la frontière espagnole.
- Cauterets est situé à une quinzaine de kilomètres de la frontière espagnole et à proximité de Pont d'Espagne.

Extrait 32

Christine Vous connaissez les Pyrénées?

Jacques Oh oui, j'y passe souvent mes vacances.

Christine Vous pouvez recommander un endroit?

Jacques Nous, nous préférons la montagne en hiver. Cauterets, par exemple, c'est sympa. Nous y allons tous les ans pour faire du ski.

Christine Et en été?

Jacques Ah, en été, c'est Hendaye; nous adorons la mer, la plage. En août, ma femme travaille, donc j'y vais souvent avec les enfants.

Extrait 33

Répondez aux questions.

Question Vous allez chaque année à Paris? (Oui...)

Vous Oui, j'y vais chaque année.

Question Elle va quelquefois à la montagne?

(Oui...)

Vous Oui, elle y va quelquefois.

Question Il reste chez lui l'été?

(Oui...)

Vous Oui, il y reste l'été.

Question Vous n'allez pas à la montagne cet hiver?

(Non...)

Vous Non, je n'y vais pas cet hiver.

Question Il ne va jamais en Italie?

(Non...)

Vous Non, il n'y va jamais.

Extrait 34

Pierre

Pierre J'aime partir à l'étranger. Je déteste les vacances organisées.

Colette

Colette J'aime bien rester chez moi l'été, et partir à l'étranger l'hiver.

Agnès

Agnès Je déteste le camping. Je préfère la montagne.

Pascal

Pascal Personnellement, je préfère la mer. J'ai le vertige, la montagne n'est pas faite pour moi.

Maryse

Maryse Je déteste les vacances en voyage organisé. Je préfère la mer, mais j'apprécie les vacances à la montagne.

Élisabeth

Élisabeth Oh, pas la montagne – je ne supporte pas la montagne. La mer, je trouve ça formidable.

Extrait 35

Écoutez et répétez.

formidable	trouve
sorte	prends
organise	trop
supporte	vraiment
reste	horreur
regarde	préfère
revient	partir

Extrait 36

Écoutez et répétez.

– J'aime partir…
 … à l'étranger.
 J'aime partir à l'étranger.

– Je ne supporte pas…
 … la mer.
 Je ne supporte pas la mer.

– Je préfère…
 … rester chez moi.
 Je préfère rester chez moi.

– Il a horreur…
 … de regarder…
 … le sport.
 Il a horreur de regarder le sport.

Extrait 37

Écoutez et répétez.

Je me repose tout le temps.

Tu t'amuses bien?

Elle se détend ce week-end.

Nous ne nous promenons pas tous les dimanches.

Vous vous ennuyez souvent?

Ils ne se régalent pas au restaurant.

Extrait 38

Christine Qu'est-ce que vous avez déjà vu à Avignon?

Pierrette Nous avons vu le Pont St Bénezet, et visité le musée du Petit Palais.

Christine Et… bien sûr, le Palais des Papes?

Jacques Ah oui, nous connaissons. Nous avons déjà visité le Palais il y a un an, en septembre; il est magnifique.

Christine Est-ce que vous êtes déjà allés à Villeneuve-lès-Avignon?

Pierrette Oui, nous sommes allés à Villeneuve en septembre dernier.

Christine Et à la Tour Philippe le Bel?

Jacques Oui, bien sûr.

Christine Et vous êtes allés voir Arles?

Pierrette Oui, mais nous n'avons pas encore visité les arènes. Il y a toujours beaucoup de choses à voir ici et nous partons demain.

Christine Vous allez revenir à Avignon?

Jacques Oh oui, l'été prochain. Peut-être en juin; nous n'avons pas encore décidé.

Extrait 39

Jean-Claude

Question Qu'est-ce que vous avez choisi comme vacances cette année?

Jean-Claude Cette année, nous avons été dans un club près de la côte basque.

Question Vous vous êtes reposés?

Jean-Claude Nous nous sommes beaucoup reposés.

Question Vous vous êtes amusés?

Jean-Claude Nous nous sommes plus reposés qu'amusés.

Question Qu'est-ce que vous avez fait? Vous vous êtes promenés...?

Jean-Claude Nous avons fait du tennis et nous avons bien mangé.

Question Vous avez visité un peu la région?

Jean-Claude Nous avons visité le Pays basque.

Philippe

Question Qu'est-ce que vous avez choisi comme vacances cette année?

Philippe Cette année, j'ai choisi d'aller aux Antilles.

Question Et vous vous êtes promenés, ou vous avez préféré bronzer sur la plage?

Philippe On a bronzé sur la plage, on s'est baignés.

Question Vous vous êtes bien amusés?

Philippe Je me suis bien amusé et les enfants aussi.

Question Et vous vous êtes aussi bien reposés?

Philippe Oui, bien reposés.

Question Et vous avez bien mangé?

Philippe J'ai bien mangé, j'aime bien la cuisine exotique.

Maryse

Maryse Cette année, nos vacances étaient principalement familiales. Mais nous avons fait une visite à Paris.

Question Vous vous êtes promenés dans Paris ou vous avez plutôt visité des musées, etc.?

Maryse Nous avons visité le musée du Louvre et sa pyramide, et nous avons beaucoup marché sur les quais de Seine à Paris.

Question Vous vous êtes bien amusés?

Maryse Nous nous sommes beaucoup amusés.

Question Et vous vous êtes bien reposés?

Maryse Pas tellement. À Paris... on ne se repose pas beaucoup.

Question Et est-ce que vous avez bien mangé?

Maryse Nous avons très bien mangé à Paris.

Question Par exemple?

Maryse Dans le quartier chinois, nous nous sommes régalés.

Extrait 40

Répétez.

- Grégoire regarde la grive...
- ... et grignote un gros sucre d'orge...
- ... à la grenadine.
- Grégoire regarde la grive et grignote un gros sucre d'orge à la grenadine.
- Quatre quadragénaires...
- ... encadrent quarante enfants effrontés.
- C'est carrément éreintant!
- Quatre quadragénaires encadrent quarante enfants effrontés. C'est carrément éreintant!

Extrait 41

Le touriste Qu'est-ce qu'il y a à voir à Avignon?

L'employée Il y a les remparts, ils font quatre kilomètres 700 de long.

Le touriste Et on peut se promener tout le long des remparts?

L'employée Non, seulement sur une petite partie.

Le touriste Et qu'est-ce qu'il y a à voir encore?

L'employée Et puis, il y a des croisières sur le Rhône. Le Rhône est un fleuve superbe, il fait 812 kilomètres de long, vous savez.

Le touriste Et qu'est-ce qu'il y a à voir dans la région?

L'employée Il y a le Mont Ventoux; il fait 1907 mètres de haut.

Le touriste On peut monter jusqu'en haut?

L'employée On peut monter jusqu'au sommet, il y a un très, très beau panorama.

Le touriste Et est-ce que c'est loin d'ici, le Mont Ventoux?

L'employée C'est à environ une heure de voiture, à une soixantaine de kilomètres.

Extrait 42

Répondez aux questions.

Christine Quel type de vacances est-ce que vous aimez?

(*Say you prefer to go abroad.*)

Vous Je préfère aller à l'étranger.

Christine Vous partez souvent à l'étranger?

(*Say yes, you go there every year if possible.*)

Vous Oui, j'y vais chaque année si possible.

Christine Et quelles sortes de vacances est-ce que vous détestez?

(*Say you hate package holidays, but you love travelling.*)

Vous Je déteste les voyages organisés mais j'adore voyager.

Christine Vous préférez la mer ou la montagne?

(*Say you love the mountains – you go for lots of walks.*)

Vous J'adore la montagne – je me promène beaucoup.

(*Say you don't rest often on holiday.*)

Vous Je ne me repose pas souvent en vacances.

Christine Vous ne vous ennuyez pas?

(*Say no, you never get bored.*)

Vous Non, je ne m'ennuie jamais.

(*Say there's always lots to do and to see.*)

Vous Il y a toujours beaucoup de choses à faire et à voir.

Christine Et cette année, où allez-vous en vacances?

(*Say you don't know – you haven't decided yet.*)

Vous Je ne sais pas – je n'ai pas encore décidé.

Extrait 43

Christine Qu'est-ce que vous faites comme travail?

Jacques Moi, je suis dentiste.

Christine C'est beaucoup d'années d'études, non?

Jacques Ah oui, en effet. Ça fait six ans après le bac.

Christine Et vous avez votre propre cabinet?

Jacques Oui, j'ai mon cabinet privé depuis cinq ans. Mais d'abord, j'ai travaillé comme dentiste à l'hôpital. Justement, j'ai rencontré ma femme là, à l'hôpital.

Christine Ah, vraiment?

Jacques Oui, nous sommes mariés depuis sept ans.

Christine Vous êtes aussi dentiste?

Pierrette Non, moi j'ai commencé au service comptable de l'hôpital. J'ai travaillé à la comptabilité pendant deux ans et puis j'ai repris des études.

Christine Des études de quoi?

Pierrette J'ai passé ma licence d'anglais commercial. Depuis trois ans, je suis assistante de direction dans une société de transport.

Extrait 44

Question Vous êtes employé de banque – vous faites ça depuis longtemps?

Francis Je suis employé de banque depuis trente-trois ans.

Question Donc vous avez toujours travaillé à la banque?

Francis Avant de travailler à la banque, j'ai été prothésiste dentaire.

Question Pendant combien de temps?

Francis Pendant cinq ans.

Extrait 45

Vous passez un entretien. Répondez aux questions.

Question Qu'est-ce que vous faites dans la vie?

(*Say you work in catering.*)

Vous Je travaille dans la restauration.

Question Depuis combien de temps?

(*Say you've been in catering for ten years.*)

Vous Je suis dans la restauration depuis dix ans.

Question Qu'est-ce que vous avez fait avant?

(*Say you've done a lot of things.*)

Vous Oh, j'ai fait beaucoup de choses!

Question Comme quoi?

(*Say that first of all you worked in a baker's for three years.*)

Vous D'abord, j'ai travaillé dans une boulangerie pendant trois ans.

Question Et ensuite?

(*Say you also worked in a café for two months only.*)

Vous J'ai aussi travaillé dans un café, pendant deux mois seulement.

Question Et vous n'avez pas aimé?

(*Say you hated the work.*)

Vous J'ai détesté le travail.

Extrait 46

Question Vous êtes chercheur au CNRS. Vous faites ça depuis longtemps?

Pierre Je travaille au CNRS depuis huit ans.

Question Et avant, qu'est-ce que vous avez fait?

Pierre J'ai travaillé dans une petite entreprise de photogrammétrie pendant dix ans.

Question Vous avez le bac. Quel bac avez-vous passé?

Pierre J'ai passé un bac scientifique.

Question Et ensuite, vous avez fait quelle formation?

Pierre Ensuite j'ai fait de l'informatique et de la photographie.

Question Quels diplômes avez-vous obtenus?

Pierre J'ai obtenu une maîtrise en photographie et un doctorat en informatique.

Question Vous parlez des langues étrangères?

Pierre Je parle très mal l'anglais et un peu l'italien.

Extrait 47

Question Qu'est-ce que vous faites dans la vie?

Jean-Claude Je suis avocat.

Question Vous faites ça depuis longtemps?

Jean-Claude Je fais ça depuis 1983.

Question Vous avez toujours été avocat?

Jean-Claude Oui, j'ai toujours été avocat.

Question Vous êtes allé à l'université?

Jean-Claude Oui.

Question Qu'est-ce que vous avez fait comme formation?

Jean-Claude Eh bien, j'ai fait une maîtrise en droit à l'université de Nanterre.

Question De Nanterre?

Jean-Claude Tout à fait.

Question Vous parlez des langues étrangères?

Jean-Claude Oui, je parle anglais, espagnol, allemand. J'ai appris du vietnamien, quelques mots... italien, russe.

Extrait 48

Question Qu'est-ce que vous faites dans la vie?

Agnès Je suis hôtesse au sol dans un aéroport.

Question Vous faites ça depuis longtemps?

Agnès Je travaille depuis environ huit ans.

Question Et avant d'être hôtesse au sol, qu'est-ce que vous avez fait?

Agnès J'ai terminé mes études de BTS Tourisme.

Question Vous avez le bac?

Agnès Oui.

Question Quel bac avez-vous passé?

Agnès J'ai passé un bac Économie.

Question Et vous êtes allée à l'université?

Agnès Je suis allée dans une école privée pour mon BTS Tourisme.

Question Quels diplômes avez-vous obtenus?

Agnès J'ai obtenu donc un BTS Tourisme et également un diplôme d'hôtesse.

Question Et vous parlez des langues étrangères?

Agnès Je parle anglais et espagnol.

Extrait 49

Question Vous avez le bac?

Magali Oui, j'ai passé le bac en 1992. Un bac littéraire. Ensuite, je suis allée à l'Université.

Question Vous avez suivi quel type d'études?

Magali Des études de langues. J'ai eu ma licence d'anglais en 1996.

Question Et qu'est-ce que vous avez fait après?

Magali J'ai travaillé pendant trois ans dans une librairie. Et puis, j'ai décidé de reprendre mes études.

Question Dans quoi?

Magali J'ai passé un diplôme de réalisateur multimédia à l'IUP.

Question Qu'est-ce que vous faites maintenant?

Magali Je suis webmaster. Je travaille dans une agence de communication depuis 2002.

Extrait 50

Jacques Que font vos parents, Christine?

Christine Maintenant ils sont à la retraite tous les deux. Mon père travaillait comme électricien dans une usine.

Jacques Il a toujours travaillé à l'usine?

Christine Oui, il a commencé à quatorze ans. Il n'aimait pas trop l'école et pourtant… il a épousé une institutrice!

Pierrette Votre mère était institutrice?

Christine Oui. Mais elle a arrêté de travailler pendant trois ans lorsque je suis née. Elle voulait rester à la maison.

Pierrette Elle avait raison.

Christine Oui, mais elle adorait son travail. Elle a été contente de reprendre sa classe ensuite. Vous savez, quand elle était petite, elle voulait déjà être institutrice.

Extrait 51

Agnès

Question Qu'est-ce que vous vouliez faire quand vous étiez petite?

Agnès Quand j'étais petite je voulais être danseuse.

Question Pourquoi?

Agnès Pour être sur une scène.

Question Et pourquoi avez-vous changé d'avis?

Agnès Parce que je n'étais pas douée pour la danse.

Philippe

Question Qu'est-ce que vous vouliez faire quand vous étiez petit?

Philippe Je voulais être pilote de Formule 1.

Question Pourquoi?

Philippe Parce que j'adore la vitesse.

Question Et pourquoi avez-vous changé d'avis?

Philippe Parce que la vitesse est trop dangereuse et ça coûte trop cher.

Francis

Question Qu'est-ce vous vouliez faire quand vous étiez petit?

Francis Eh bien, je n'avais pas d'idée, du tout, sur mon métier. Mais la première vocation était une grande vocation. Je voulais être prêtre.

Question Pourquoi avez-vous changé d'avis?

Francis Parce que je ne voulais pas rester célibataire.

Élisabeth

Question Qu'est-ce que vous vouliez faire quand vous étiez petite?

Élisabeth Je voulais être spéléologue.

Question Et pourquoi avez-vous changé d'avis?

Élisabeth Parce que je n'étais pas assez courageuse.

Extrait 52

Répondez aux questions.

Question Malika, quelle enfant étiez-vous?

(*Say that when you were small, you were very shy.*)

Malika Quand j'étais petite, j'étais très timide.

Question Ah oui?

(*Say that at school you didn't have any friends.*)

Malika À l'école, je n'avais pas d'amis.

Question Qu'est-ce que vous vouliez faire quand vous étiez petite?

(*Say you wanted to be a journalist or photographer.*)

Malika Je voulais être journaliste ou photographe.

Question Et maintenant, qu'est-ce que vous faites?

(*Say you're running a firm of fifteen people.*)

Malika Je dirige une entreprise de quinze personnes.

Extrait 53

Dialogue 1

Question Est-ce que vous avez déjà fait les vendanges?

Robert Non, mais quand j'avais seize ans, j'aidais mon grand-père dans sa ferme en Dordogne, pendant les vacances.

Question Est-ce que vous pouvez travailler de longues heures en pleine chaleur? Vous n'êtes pas très sportif.

Robert Vous avez raison, mais j'adore être dehors.

Dialogue 2

Question Vous n'avez pas beaucoup d'expérience de l'hôtellerie, il me semble.

Béatrice Je n'ai pas beaucoup d'expérience, c'est vrai, mais quand j'étais plus jeune, je travaillais dans une auberge de jeunesse pendant l'été.

Question Qu'est-ce que vous faisiez?

Béatrice Je faisais le ménage dans les chambres.

Question Vous parlez anglais et espagnol couramment?

Béatrice L'anglais, oui…

Question Mais votre espagnol est moins bon…

Béatrice C'est vrai qu'il est moins bon mais quand j'allais en vacances en Espagne, je n'avais pas de problème.

Dialogue 3

Question Vous faites des études de mathématiques à l'université? Ce n'est pas vraiment utile pour travailler dans un restaurant.

Omar Oui, mais vous savez, pour faire des études, j'ai besoin de travailler l'été.

Question Ici, on n'a pas besoin de diplôme.

Omar Oui, je suis d'accord avec vous, par contre je sais travailler vite.

Extrait 54

Jean-Claude

Question Vous partez tôt, le matin, de chez vous?

Jean-Claude Non, pas vraiment, je quitte la maison à huit heures trente.

Question Et vous travaillez jusqu'à tard le soir?

Jean-Claude En général, je m'arrête à dix-neuf heures ou dix-neuf heures trente.

Question Comment vous allez au travail normalement?

Jean-Claude Avec grand bonheur, à pied.

Question Vous n'habitez pas loin?

Jean-Claude Exactement.

Question Vous rentrez chez vous à midi?

Jean-Claude Non, jamais.

Question Vous travaillez le week-end?

Jean-Claude Cela m'arrive parfois mais assez rarement.

Philippe

Question Vous partez tôt le matin pour le travail?

Philippe Je pars à sept heures et demie.

Question Et comment vous allez au travail normalement?

Philippe Je vais au travail en vélo.

Question Vous prenez toujours votre vélo?

Philippe Toujours, quel que soit le temps.

Question Vous rentrez chez vous à midi?

Philippe Non, je ne rentre jamais le midi.

Question Vous travaillez le week-end?

Philippe De temps en temps je travaille le week-end.

Francis

Question Comment vous allez au travail normalement?

Francis Je vais au travail en train. Je prends le train tous les jours.

Question Vous rentrez chez vous à midi?

Francis Non, nous faisons la journée continue et nous mangeons à la cantine.

Question Vous travaillez le week-end?

Francis Non, je ne travaille jamais à la banque le week-end. Je reste à la maison.

Extrait 55

Fatima Tu travailles depuis longtemps?

Guillaume Je suis dans la vie active depuis l'âge de quatorze ans. J'ai d'abord passé mon BEP de coiffure en 1993. Et, j'ai été coiffeur pendant cinq ans. Ensuite, j'ai décidé de changer.

Fatima C'est difficile, non, de changer?

Guillaume Oui, c'est dur, mais j'ai quand même passé le bac. Après, je suis allé à l'université pendant quatre ans et j'ai eu une licence en sciences sociales.

Fatima Tu travaillais en même temps?

Guillaume Je faisais des petits boulots. J'ai été serveur dans un restaurant pendant six mois.

Fatima Et après ta licence, tu es devenu directeur du centre social?

Guillaume Non, d'abord j'ai été au chômage pendant six mois. Ensuite, j'ai trouvé un poste de directeur-adjoint dans un centre pour les personnes handicapées.

Fatima Tu es resté là longtemps?

Guillaume Oui, pendant un an et demi. Ensuite, j'ai eu mon poste de directeur au centre social et je suis là depuis juin 2004.

Extrait 56

Colette

Question Colette, vous êtes professeur de yoga. Vous faites ça depuis longtemps?

Colette Oui, je fais ça depuis plus de vingt ans.

Question Avant d'être professeur de yoga, qu'est-ce que vous avez fait?

Colette J'ai été biologiste, dans un hôpital.

Question Pendant combien de temps?

Colette Oh, pendant une dizaine d'années.

Pascal

Question Vous êtes militaire. Est-ce que vous avez toujours été militaire?

Pascal Depuis tout petit, je suis militaire. J'ai commencé à être militaire à quinze ans, dans une école militaire.

Maryse

Question Vous avez toujours travaillé comme assistante maternelle?

Maryse Je travaille comme assistante maternelle depuis une dizaine d'années.

Élisabeth

Question Qu'est-ce que vous avez fait comme métier, auparavant?

Élisabeth J'ai été informaticienne, et j'ai fait ça pendant trois ans.

Patrick

Question Donc, vous êtes responsable technique à la radio depuis combien de temps?

Patrick Je suis responsable technique depuis cinq ans.

Lionel

Question Tu es facteur… tu fais ça depuis longtemps?

Lionel Non, j'ai commencé il y a huit mois.

Acknowledgements

Illustrations

Pages 5, 10, 32, 33, 39, 84, 85 (top and bottom left, top right), 91 (right): Copyright © Hélène Mulphin; *page 42*: Copyright © AKG London/Eric Lessing; *pages 47 (right), 85 (bottom left),* 91 *(left)*: © Neil Broadbent; *pages 65 and 68 (top right)*: © Images of France; *pages 68 (left), 69, 75 (top)*: Courtesy of Pam Higgins; *page 79 (top left)*: Courtesy of Eurocamp; *(top right)*: Jim Steinhart of www.planetware.com; *(bottom left)*: © Images of France; *(bottom right)*: Jim Steinhart of www.planetware.com; *page 85 (bottom right)*: Alamy.

Cover photograph: Hubert Stadler/Corbis

Every effort has been made to contact copyright owners. If any have been inadvertently overlooked, the publishers will be pleased to make the necessary arrangements at the first opportunity.